D0193040

Michael Morpurgo

Lo sbarco di Tips

Traduzione di
Marina Rullo

Illustrazioni di
Michael Foreman

PIEMME

Per Ann e Jim Simpson,
che ci hanno portato a Slapton,
e per la loro famiglia,
in particolare Atlanta, Harriet ed Effie

Inghilterra, Devon

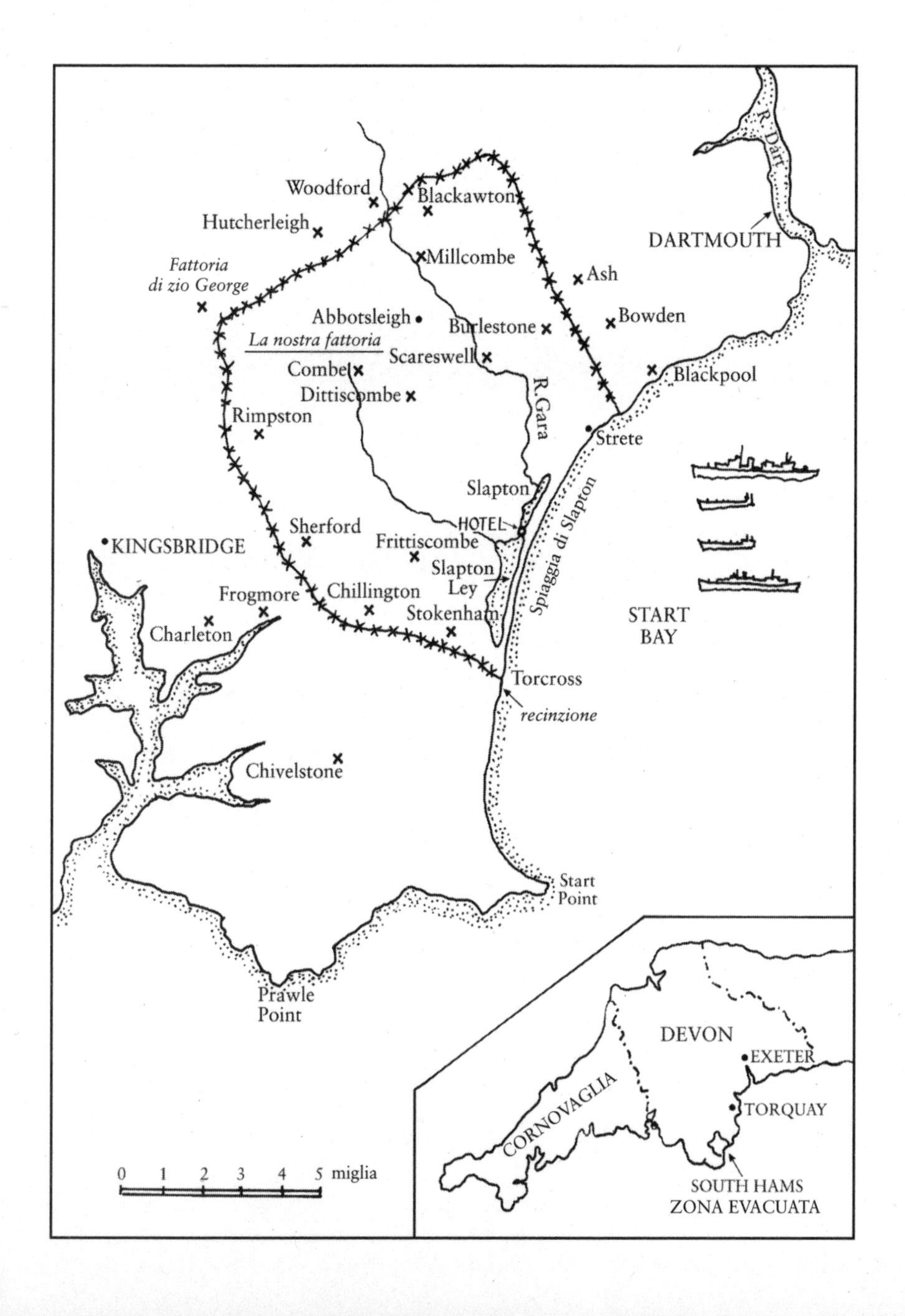

Prologo

Ho letto per la prima volta la lettera di nonna più di dieci anni fa, quando ero dodicenne. È il genere di lettera che non si dimentica. Ricordo di averla letta e riletta per essere sicuro di aver capito bene, e in poco tempo aveva fatto il giro della famiglia.

– Be', non ho parole – ha commentato mio padre.

– Quella donna è incredibile – ha detto mia madre.

Nonna ha telefonato più tardi quella sera stessa.
– Bobo? Sei tu, caro? È la nonna.

Era stata nonna a darmi quel nomignolo, Bobo. A quanto pare, era stata la prima "parola" che mi aveva sentito pronunciare. Il mio nome vero è Michael, ma lei non mi chiamava mai così.

– Allora, l'hai letta? – ha continuato.

– Sì, nonna. Ma è proprio tutto vero?

– Certo che sì – ha risposto con una risatina che arrivava da lontano con tanto di eco. – Dai pure la colpa al gatto, Bobo, se vuoi. Ma ricordati una cosa, tesoro: solo i pesci morti seguono la corrente e io non sono ancora un pesce morto. Proprio per niente.

E così era tutto vero, dall'inizio alla fine. L'aveva fatto sul serio. Mi è venuta una gran voglia di gridare e battere le mani e saltare come un matto dalla gioia, ma il resto della famiglia sembrava ancora sotto choc. Era tutto il giorno che zie, zii e cugini vari andavano e venivano tra borbottii, cenni sconsolati della testa e versi di disapprovazione.

– Che le è saltato in mente?

– Alla sua età, poi!

– Nonno è morto solo da pochi mesi.

– Neanche il tempo di raffreddarsi nella bara.

A essere onesti, era vero che erano passati solo pochi mesi dalla morte di nonno: cinque mesi e due settimane, per l'esattezza.

Aveva piovuto a catinelle per tutto il funerale, così forte che a volte si faticava a sentire l'organo. Ricordo che un bambino si era messo a piangere e avevano dovuto portarlo fuori. Io ero seduto accanto a nonna nel primo banco, vicino alla bara. Le tremavano le mani e, quando avevo alzato su di lei lo sguardo, aveva sorriso e mi aveva stretto il braccio per farmi capire che stava bene. Però io sapevo che non era vero, così le avevo tenuto la mano. Dopo avevamo seguito la bara lungo la navata, stretti l'uno all'altra.

Ci eravamo ritrovati sotto il suo ombrello al cimitero a guardare la bara che veniva calata nella fossa, con le parole del vicario spazzate via dal vento prima ancora che qualcuno potesse sentirle. Ricordo che mi sforzavo di essere triste ma non ci riuscivo, e non perché non volessi bene a nonno. Gliene volevo un mondo, ma soffriva di sclerosi multipla da più di dieci anni, in pratica da quasi tutta la mia vita. Per questo avevo sempre avuto la sensazione di non conoscerlo granché. Quand'ero piccolo, si sedeva accanto al letto per leggermi una storia. Più tardi ero stato io a farlo per lui. Certe volte riusciva solo a sorridermi. E verso la fine, quando aveva cominciato a stare davvero male, nonna doveva fare praticamente tutto. Perfino da interprete, perché quando lui cercava di parlarmi io non lo capivo più. Negli ultimi giorni di vacanza passati a Slapton, gli leggevo la sofferenza negli occhi. Non sopportava lo stato in cui era ridotto e neanche che lo vedessi in quelle condizioni. Così, quando avevo saputo che era morto, mi era dispiaciuto soprattutto per nonna: erano sposati da più di quarant'anni. Però in un certo senso ero felice che fosse finita, per lei e per lui.

Dopo la sepoltura, mentre eravamo diretti al pub per la commemorazione, nonna aveva continuato a tenermi stretta la mano. Non me l'ero sentita di parlare per non disturbare i suoi pensieri. Avevo preferito lasciarla in pace.

Mentre passavamo sotto il ponte, ormai in vista del pub, alla fine nonna aveva detto: «Ha chiuso con le sofferenze, Bobo. E ha chiuso anche con quella sedia a rotelle. Dio, quanto l'odiava. Ora è di nuovo felice. Dovevi vederlo prima, Bobo. Dovevi conoscerlo come lo conoscevo io. Un pezzo di ragazzo, sempre tenero, sempre gentile. Ha cercato di restare così fino alla fine. Ridevamo tanto i primi tempi... Quante risate ci facevamo! In un certo senso, quella è stata la cosa più brutta: ha smesso di ridere tanto tempo fa, quando s'è ammalato. Per questo ero così contenta quando venivi a trovarci, Bobo. Mi ricordavi lui da giovane. Ridevi proprio come lui ai vecchi tempi e mi facevi sentire bene. E facevi sentire bene anche lui. Lo so».

Non era da nonna. Di solito, tra noi due ero io quello che parlava. Lei non diceva mai più di tanto, ascoltava e basta. È sempre stata la mia confidente. Non so perché, ma mi sentivo molto più a mio agio con lei che con chiunque altro della famiglia. A casa mia, erano sempre tutti presi da cento impegni. Ogni volta che aprivo bocca avevo l'impressione di interrompere qualcosa. Con nonna, invece, ero sicuro di avere tutta la sua attenzione. Mi faceva sentire come l'unica persona al mondo che contasse qualcosa. Da quanto ricordo, avevo sempre trascorso le vacanze a Slapton, di solito da solo. Consideravo il villino dei nonni "casa" più di qualsiasi altro posto, perché la mia famiglia aveva traslocato spesso, fin troppo per i miei gusti. Non facevo in tempo ad ambientarmi e a fare amicizia che eravamo già ripartiti, di nuovo in movimento. Le estati da nonna a Slapton, invece, erano qualcosa di regolare e affidabile, e io amavo quella routine. E amavo Harley in particolare.

Nonna mi portava in giro in segreto sull'adorata moto di nonno, una vecchia Harley-Davidson di cui andava fierissimo. L'avevamo ribattezzata Harley. Prima della malattia, loro due andavano in moto ogni volta che potevano, il che purtroppo non accadeva spesso. Una volta nonna mi aveva detto che erano stati i loro momenti più felici. Ora che nonno era troppo malato per andare in moto, lei ci portava me. Naturalmente, dopo raccontavamo tutto a nonno. Voleva sapere ogni particolare: dove eravamo stati, in quale campo c'eravamo fermati per il picnic e a che velocità eravamo tornati indietro. Io rivivevo l'esperienza per lui e nonno era felice. Ai miei genitori, però, non raccontavamo niente. Era il nostro segreto, diceva nonna, perché se i miei fossero venuti a sapere che nonna mi portava in moto, non mi avrebbero più lasciato andare a Slapton. E aveva ragione. Avevo l'impressione che né mio padre, che pure era suo figlio, né mia madre vedessero le cose come le vedevamo nonna e io. L'avevano sempre considerata testarda, eccentrica, perfino scriteriata. E sicuramente avrebbero bollato come "scriteriate" anche quelle nostre uscite. Invece non era così. Non mi ero mai sentito in pericolo su Harley, per quanto veloci andassimo. Anzi, più veloce andavamo, meglio era. E ogni volta che rientravamo senza fiato per l'eccitazione e con il viso intirizzito dal vento, nonna diceva sempre: «Sublime, Bobo! Non è stato semplicemente sublime?».

E quando non uscivamo con Harley facevamo lunghe passeggiate sulla spiaggia per fare volare gli aquiloni e sulla via del ritorno ci fermavamo a guardare le gallinelle d'acqua, le folaghe e gli aironi sullo Slapton Ley. Una volta avevamo visto un tarabuso. «Non è sublime?» mi aveva bisbigliato nonna all'orecchio. "Sublime" era il suo aggettivo preferito per qualsiasi cosa le piacesse: motociclette, uccelli o piante di lavanda. Casa sua profumava tutta di lavanda. Nonna ne adorava il profumo e il colore. Usava sapone alla lavanda e in ogni armadio e cassettone c'era un sacchetto profumato. Per tenere lontane le tarme, diceva.

Ma i momenti più belli, ancora più di quelli passati aggrappato a lei mentre sfrecciavamo su Harley lungo le stradine fiancheggiate dalle siepi, erano le giornate burrascose, quando camminavamo insieme sulla spiaggia facendo scricchiolare i sassi, stretti l'uno all'altra per non farci portare via dal vento. Non ci allontanavamo mai troppo per via di nonno, anche se lui era contento di restare un po' per conto suo quando c'era lo sport in Tv. Così, di solito, andavamo a fare un giro in moto o una delle nostre passeggiate quando alla Tv davano una partita di cricket o di rugby. Il rugby era la grande passione di nonno. Da giovane era stato un bravo giocatore, anzi bravissimo, diceva nonna tutta fiera.

Qualche volta aveva perfino giocato nella squadra del Devon, quando poteva allontanarsi dalla fattoria.

Nonna mi aveva raccontato com'era densa di impegni la loro vita, su alla fattoria, prima della mia nascita. Una volta mi aveva portato a visitarla. Così sapevo tutto delle loro sessanta vacche da latte di razza South Devon e di come nonno aveva tirato avanti finché aveva potuto. Poi la malattia aveva preso il sopravvento e non era stato più in grado di salire le scale, così avevano dovuto vendere la fattoria e gli animali per trasferirsi nel villino giù a Slapton. Ma più che altro a nonna piaceva sapere di me, farmi tante domande, e voleva conoscere tutto. Forse perché ero il suo unico nipote. Non aveva mai l'aria di giudicarmi, così non c'era niente che le tacessi della mia vita a casa o dei miei amici o delle mie preoccupazioni. Lei non mi dava mai consigli, ascoltava e basta.

Mi ricordo che una volta aveva detto che, quando stavo da loro, si sentiva più giovane. «Più invecchio, più vorrei ringiovanire» aveva detto. «Ecco perché mi piace tanto andare in giro con Harley. Ho deciso di restare giovane finché non casco morta, costi quel che costi.»

Capivo bene cosa intendeva con "costi quel che costi". Ogni volta che ero andato a trovarla, negli ultimi due anni prima della morte di nonno, l'avevo trovata sempre più stanca e ingrigita. Sentivo spesso mio padre supplicarla di ricoverare nonno in una casa di riposo perché non poteva più assisterlo da sola. Anche se, certe volte, sembrava più un ordine che una supplica e avrei voluto che papà la smettesse. Comunque, nonna da quell'orecchio non ci sentiva. È vero che aveva una badante che veniva ogni giorno per aiutarla a lavare nonno, ma poi tutto il resto doveva farlo da sola e si stava sfiancando. Negli ultimi tempi andavo sempre più spesso da solo in spiaggia. Non potevamo più uscire con Harley. Non si poteva lasciare da solo nonno neanche per dieci minuti senza che lui si agitasse e lei si facesse prendere dall'ansia. Una volta messo a letto nonno, però, io e lei facevamo lunghe partite a Scarabeo, che a volte mi lasciava vincere, o chiacchieravamo facendo le ore piccole. Anzi, per essere precisi, io chiacchieravo e lei ascoltava. Nel corso degli anni, credo di averle fatto una cronaca in diretta su ogni aspetto della mia vita, dalla prima parola che ho pronunciato fino alla fine dell'infanzia.

Dopo il funerale, però, mentre andavamo tutti insieme al pub, era venuto il suo turno e aveva cominciato a raccontare di sé a ruota libera, come non aveva mai fatto prima. E all'improvviso ero diventato io l'ascoltatore.

C'era moltissima gente alla commemorazione e,

naturalmente, tutti volevano parlare con nonna, così non avevamo più avuto occasione di scambiare una parola quel giorno, almeno non da soli. Io facevo la parte del cameriere e andavo in giro servendo tè, caffè e fette di torte salate e dolci. Quando ci eravamo salutati quella sera, nonna mi aveva abbracciato più forte del solito e mi aveva sfiorato la guancia come faceva sempre nel darmi la buonanotte prima di spegnere la luce. Non stava piangendo, non proprio. E tenendomi stretto aveva detto sottovoce: «Non preoccuparti per me, Bobo caro. Ci sono dei momenti in cui è meglio stare soli. Andrò in giro con Harley e lei mi aiuterà a sentirmi meglio. Starò bene». Così la mia famiglia e io eravamo andati via, lasciandola in compagnia del silenzio della sua casa vuota.

Qualche settimana dopo, era venuta da noi per Natale, ma sembrava distante, come persa in se stessa. Era presente ma in qualche modo assente. Avevo pensato che soffrisse ancora per la morte di nonno e, sapendo che era una cosa privata, l'avevo lasciata in pace, non avevamo parlato molto. La cosa strana, però, è che non aveva l'aria triste. Anzi, era serena, calma e silenziosa, con un sorriso sognante sul viso, come se fosse felice di stare con noi a patto di non dover partecipare troppo. L'avevo sorpresa spesso seduta con lo sguardo nel vuoto, forse persa nel ricordo di un Natale passato con nonno o alla fattoria da piccola.

Poi il giorno di Natale, dopo pranzo, aveva detto che voleva fare una passeggiata. Così eravamo andati al parco, noi due soli. E mentre eravamo seduti a guardare le anatre nello stagno, mi aveva detto: «Sto per partire, Bobo. Partirò a inizio anno, solo per un po'».

«Dove vai?» avevo chiesto.

«Lo saprai quando arriverò» aveva risposto. «Promesso. Ti manderò una lettera.»

E, malgrado l'avessi tempestata di domande, non aveva aggiunto altre spiegazioni. Un paio di giorni dopo, l'avevamo accompagnata alla stazione e salutata mentre si allontanava in treno. Poi più niente. Nessuna lettera, nessuna cartolina, nessuna telefonata. Era passata una settimana. Ne erano passate due. Nessuno sembrava preoccuparsi più di tanto, ma io sì. Sapevamo che era in viaggio, non ne aveva fatto mistero, ma non aveva detto a nessuno dov'era diretta e, nonostante la promessa di scrivermi, non era ancora arrivato niente. Nonna non veniva mai meno a una promessa. Mai. Qualcosa era andato storto, ne ero sicuro.

Poi, una domenica mattina, raccogliendo la posta che si era accumulata sullo zerbino dell'ingresso, avevo trovato una lettera per me. Avevo riconosciuto la scrittura a prima vista. La busta era piuttosto pesante. Tutti avevano aperto subito la propria corrispondenza, mentre io volevo leggere la lettera di nonna in privato. Così ero corso in camera, mi ero seduto sul letto e avevo aperto la busta. Dentro c'era qualcosa di più simile a un manoscritto che a una lettera: trenta o quaranta pagine scritte fitte fitte. Sulla copertina era attaccata con il nastro adesivo una foto in bianco e nero (bianco e marrone, per essere precisi) di una ragazzina uguale a me che faceva un gran sorriso all'obiettivo con un gattone bianco e nero in braccio. C'era anche un titolo: *La straordinaria storia di Adolphus Tips*, con sotto il nome di nonna, Lily Tregenza. Attaccata al manoscritto con una grossa graffetta colorata, c'era questa lettera.

Carissimo Bobo,

questo è l'unico modo che mi è venuto in mente per spiegarti perché ho fatto quel che ho fatto. Ti ho già accennato qualcosa in questi anni, ma ora voglio che tu conosca tutta la storia. Qualcuno penserà che sono matta, magari lo penseranno in tanti. Non m'importa. Tu non lo penserai, non quando avrai letto questa lettera. Tu mi capirai, lo so. Ecco perché ho voluto che la leggessi per primo. Poi falla pure leggere agli altri. Ti telefono presto… appena ti sarai ripreso dalla sorpresa.

Quando avevo più o meno la tua età (a proposito, quella nella foto sono io con Tips), tenevo un diario segreto. Ero figlia unica e nel diario parlavo a me stessa. Mi faceva compagnia quasi come un amico. Quindi, quella che leggerai è la storia della mia vita a partire dall'autunno del 1943, durante la Seconda Guerra Mondiale, quando abitavo nella fattoria dei miei genitori. Sarò sincera, ho rivisto un bel po' il testo. Ogni tanto ho lasciato fuori qualche cosa perché era troppo privata, troppo noiosa o troppo lunga. Certe volte scrivevo pagine su pagine solo per il gusto di parlare a ruota libera.

Alla fine del diario troverai una sorpresa. Ma non barare, Bobo. Non saltare le pagine. Lascia che sia una sorpresa, come lo è ancora per me.

Con affetto,
nonna

P.S. Harley si sentirà triste e sola in garage. Quando torno, andiamo a fare un giro. Appena vieni a trovarmi. Promesso.

La straordinaria storia di Adolphus Tips

di Lily Tregenza

Venerdì, 10 settembre 1943

Ormai è una settimana intera che sono tornata a scuola. Quando la signorina McAllister è andata via alla fine del trimestre sono stata felice come una Pasqua (mi piace quest'espressione), come tutti i miei compagni, del resto. Era una strega, ci scommetto. Pensavo che adesso sarebbe filato tutto liscio come l'olio (anche quest'espressione mi piace), e non vedevo l'ora di non trovarmela più tra i piedi. E chi ci capita come preside? La signora Blumfeld "Blumutanda". Fuori è tutta sorrisi, ma sotto sotto è una strega più peggiore della signorina McAllister. Lo so che non si dice "più peggiore", ma suona più peggio di "peggio", così lo dico e basta. La chiamiamo Blumutanda per via del suo cognome e anche perché una volta è venuta in classe con l'orlo della gonna infilato nelle mutande.

Oggi Blumutanda mi ha messo in punizione solo perché avevo un'altra volta le mani sporche. – Lily Tregenza, *penzo* che tu sia una delle ragazzine più disordinate che *appia* mai conosciuto –. Non sa nemmeno parlare bene. Dice "penzo" invece di "penso" e "appia" invece di "abbia". Non sa l'inglese e dovrebbe farci da insegnante. Così ho detto che era un'ingiustizia bella e buona e lei mi ha affibbiato un'altra punizione. Odio il suo accento. Potrebbe essere tedesca. Magari è una spia! La faccia da spia ce l'ha. La odio. Dico sul serio. E poi quelli di città, gli sfollati, sono tutti suoi cocchi. Solo perché anche lei viene da Londra. Ce l'ha detto lei.

Questo trimestre in classe abbiamo tre nuovi compagni di città, vengono da Londra come tutti gli altri. Ormai sono così tanti che non c'è più spazio per giocare in cortile. Sono quasi quanto noi. E fanno sempre a botte. Per la maggior parte sono bravi, credo, a parte il fatto che parlano strano: io non capisco neanche la metà di quello che dicono. Però fanno troppo comunella. Certe volte ci squadrano come se avessimo il morbillo, gli orecchioni o chissà cosa. Per loro siamo tutti campagnoli zucconi, ma non è vero.

Uno di quelli nuovi, Barry Turner si chiama, vive a casa della signora Morwhenna, vicino al negozio. Ha un sacco di capelli rossi, perfino le sopracciglia sono rosse. E sta sempre a scaccolarsi, che è una cosa schifosa. Fa molti più errori di ortografia di me, ma Blumutanda non lo mette mai in punizione. E io lo so il perché. Il papà di Barry era nell'Aviazione ed è stato ucciso a Dunkirk. Mio papà, invece, è anche lui nell'esercito, però è ancora vivo. Quindi, siccome non è morto, mi becco una punizione. È giusto, dico io? Barry ha detto a Maisie, che è la mia compagna di banco e certe volte è la mia migliore amica, che se vuole può baciarlo. Ed è a scuola con noi da una settimana appena! Che faccia di bronzo. Maisie dice che l'ha lasciato fare perché è piccolo (ha solo dieci anni) e le fa pena per via del papà, e poi voleva scoprire se quelli di città ci sanno fare. Ha raccontato che è stata una cosa un po' appiccicosa, ma niente male. Io non bacio proprio nessuno. Non vedo perché dovrei, specie se è una cosa appiccicosa.

Tips sta per avere i gattini da un giorno all'altro. Ha una panciona grossa e molle. L'ultima volta li ha avuti sul mio letto. È la gatta più buona (e più grassa) del mondo e io le voglio bene più di qualsiasi altra cosa o persona al mondo. Però non fa che scodellare gattini e io vorrei tanto che la smettesse perché non possiamo tenerli e nessuno li vuole perché tutti hanno già un gatto e dei gattini.

È stata colpa di Tips e dei gattini se ho litigato con papà, la litigata più grossa della mia vita, l'ultima volta che è venuto a casa in licenza. Papà l'ha fatto quand'ero a scuola senza dirmi niente. Ha preso i gattini appena nati e li ha affogati come se niente fosse. Quando l'ho scoperto gli ho detto delle cose bruttissime, tipo che non gli avrei parlato più e che speravo che i tedeschi lo uccidessero. Sono stata veramente cattiva. E non abbiamo fatto neanche pace. Dopo gli ho scritto una lettera di scuse, ma lui non mi ha risposto. Vorrei tanto che lo facesse. Ora mi odierà e non posso dargli torto. Se gli succede qualcosa non me lo perdonerò mai dopo quello che gli ho detto.

Mamma dice sempre che dovrei ragionare con la testa e non con la lingua, ma io non sono sicura di capire cosa intenda. Adesso è entrata in camera mia per darmi la buonanotte e spegnere la lampada. Dice che passo troppo tempo sul diario. Dice che non posso scrivere al buio, invece io ci riesco benissimo. Magari domattina la scrittura sarà un po' storta, ma chisseneimporta.

Domenica, 12 settembre 1943

Oggi abbiamo visto dei soldati americani a Slapton; è la prima volta in vita mia. Tutti li chiamano Yankee, non so perché. A nonno non piacciono, invece a me sì. Portano divise più eleganti delle nostre e in un certo senso sembrano più massicci. Ci hanno salutato con dei gran sorrisi, specie mamma, ma solo perché è carina, ci scommetto. Quando le hanno fischiato dietro è diventata tutta rossa, ma si capiva che le faceva piacere. Gli Yankee per salutare dicono "salve" invece di "buongiorno" e uno ha detto "ehilà". È stato lo stesso che mi ha dato una gomma, solo che l'ha chiamata "cicca". La sto masticando proprio adesso mentre scrivo.

È buona, ma non quanto le caramelle al limone o le mentine a strisce con il dentro gommoso. Le mentine sono le mie grandi preferite, ma ora ne posso avere solo due a settimana per via del razionamento. Mamma dice che siamo molto fortunati a vivere in una fattoria perché possiamo coltivarci da soli le verdure, produrre il latte, la panna e il burro, e mangiare i nostri polli. Perciò, ogni volta che mi lamento perché i dolci sono razionati, cioè spesso, mamma mi fa sempre un predicozzo su quanto siamo fortunati. Barry dice che a Londra razionano tutto, quindi forse mamma ha ragione. Magari siamo davvero

fortunati. Ma ancora non capisco come sia possibile che vinceremo la guerra se mangio poche mentine.

Giovedì, 16 settembre 1943

Oggi mamma ha ricevuto una lettera di papà. Ogni volta che ne arriva una è felice e triste insieme. Dice che è nel deserto, in Africa, con l'Ottava Armata, e che si occupa dei camion e dei carri armati. Con i motori papà ci sa fare. Dice che di giorno fa un caldo asfissiante, mentre di notte fa così freddo che ti si congelano le dita dei piedi. Dopo che ha finito di leggere, mamma mi ha passato la lettera. Non diceva niente di Tips, dei gattini e della litigata. Forse se n'è dimenticato. Lo spero tanto.

Mi sento in colpa per quello che sto per scrivere, ma devo scrivere quello che provo. Sennò, che motivo c'è di tenere un diario? La verità è che papà non mi manca come dovrebbe, non quanto so che manca a mamma. Quando leggo le sue lettere provo una gran nostalgia, ma poi mi dimentico di lui a meno che qualcuno non lo nomini o mi capiti di vedere una sua foto. Forse è perché sono ancora arrabbiata con lui per la storia dei gattini, ma non penso. Il fatto è che non aveva bisogno di andare in guerra: poteva restare con noi e aiutare mamma e nonno alla fattoria. Altri agricoltori hanno avuto il permesso di restare. Poteva restare anche lui. Invece non l'ha fatto. Ha cercato di spiegarmelo prima di arruolarsi. Ha detto che non gli sembrava giusto restare a casa quando erano così tanti a partire per la guerra, uomini della sua stessa età. Gli ho detto che doveva pensare a noi, ma lui non mi ha dato ascolto. Ora nonno e mamma devono fare tutto il lavoro da soli: mungere, spargere il concime, tagliare il fieno e fare nascere gli agnellini. Papà era l'unico che sapeva aggiustare il suo trattore *Fordson* e la trebbiatrice e adesso non è qui. Io do una mano come posso, ma non è che sono di grande aiuto. Ho solo dodici anni (quasi) e sono spesso a scuola. Dovrebbe starci lui qui con noi, ecco cosa penso. Sono stufa marcia che sia così lontano. Sono stufa marcia della guerra. Ora non abbiamo neanche più il permesso di andare in spiaggia con gli aquiloni. C'è una recinzione di filo spinato tutt'intorno e la spiaggia è piena di mine sotterrate. Hanno messo dei cartelli orribili dappertutto per tenerci alla larga, ma non sono serviti a molto con il vecchio cane da pastore di Jeffrey, quello puzzolente e cieco da un occhio che alzava la zampa su tutto quello che gli capitava a tiro (compresa la mia gamba, una volta). Ieri s'è infilato sotto il filo spinato ed è saltato in aria sulla spiaggia. Povera bestia.

A scuola m'è venuta un'idea (forse perché Blumutanda ci stava leggendo la storia di Re Artù). Dovremmo infilare Churchill e Hitler in un'armatura come quella dei cavalieri della Tavola Rotonda, piazzarli su un cavallo, dargli una lancia e poi lasciarli lì a scornarsi da soli. Chi viene buttato giù, perde. Così la guerra finirebbe e potremmo tornare alla vita di sempre. Naturalmente, vincerebbe Churchill, perché Hitler è troppo pappamolla per stare a cavallo, figuriamoci per reggere una lancia. Perciò la vittoria sarebbe nostra. Niente più razionamento. Tutte le mentine che voglio. Papà potrebbe tornare a casa e tutto sarebbe come prima. Liscio come l'olio.

Venerdì, 17 settembre 1943

Stamattina ho visto una volpe che attraversava di corsa il campo a sud con una gallina in bocca. Quando ho gridato, s'è fermata un istante a guardarmi con l'aria di dire: «Impicciati dei fatti tuoi». Poi è trotterellata via tranquilla e indifferente. Mamma dice che non era una delle sue galline, ma di qualcuno sarà stata, no? Bisognerebbe spiegare a quella volpe che c'è il razionamento. Ecco cosa penso.

Ci sono un sacco di zanzaroni che si arrampicano sul vetro della finestra, e pure una farfalla. Ora li faccio uscire...

Fuori c'è ancora luce. Mi piacciono tanto le sere luminose. È una di quelle farfalle che chiamano Vulcano. Bellissima. Sublime.

Mamma e nonno stanno discutendo al piano di sotto, sento le loro voci da qui. Nonno ha riattaccato con la storia dei soldati americani, i "maledetti Yankee" come li chiama lui. Dice che te li ritrovi dappertutto, a centinaia, e che vanno in giro con l'aria da padroni, fumando sigari e ciancicando gomma americana. È un'invasione, dice. Mamma parla a voce bassa ed è difficile capirla.

Ora hanno smesso di discutere. Hanno acceso la radio, invece. Non so perché ci tengono tanto. Arrivano solo brutte notizie che li intristiscono e basta. Non sta mai zitta quella radio.

Lunedì, 20 settembre 1943

Due grosse sorprese. Una bella, una brutta. Oggi a scuola ci hanno rimandati tutti a casa. Questa è la bella. Tutto per via del "signor Adolf Maledetto Hitler", come lo chiama nonno. Be', tante grazie per la vacanza, signor Adolf Maledetto Hitler! Stavamo facendo aritmetica con Blumutanda (le divisioni in colonna non c'è verso che mi entrino in testa), quando abbiamo sentito sopra di noi il rombo sempre più forte di un aeroplano e le finestre della classe hanno cominciato a tremare. Poi c'è stata un'enorme esplosione che ha scosso tutta la scuola. Ci siamo buttati sotto i banchi come nelle esercitazioni anti-aeree, solo che stavolta è stato molto più emozionante perché era tutto vero. Quando Blumutanda ci ha fatto uscire in cortile, il bombardiere tedesco era già lontano sul mare, ma si vedevano ancora le croci nere sulle ali. Barry ha fatto finta di abbatterlo con la contraerea e quasi tutti i maschi gli sono andati dietro con quei loro stupidi versi da mitragliatrice: *tatatatatata*...

Blumutanda ci ha mandati a casa per paura che arrivassero altri bombardieri, ma noi non ci siamo andati. Invece siamo corsi a cercare il punto dov'era caduta la bomba. E l'abbiamo trovato. Appena fuori dal villaggio, nel campo di granturco del signor Berry c'era un buco enorme. I volontari della Guardia Nazionale erano già arrivati e zio George, in divisa, stava dicendo a tutti cosa fare. Penso che volevano essere sicuri che non ci cascasse dentro qualcuno. Nessuno era rimasto ferito, a parte un vecchio piccione che probabilmente stava

facendo una scorpacciata di granturco quand'è caduta la bomba, poveraccio. C'erano piume dappertutto. Poi un ragazzino di città s'è messo a fare lo spocchioso e ha detto che aveva visto buchi molto più grandi di quello quand'era a casa sua, a Londra. Allora Ned Simmons il Grosso gli ha detto dove andare e quello che pensava di lui e di tutti i mocciosi di città. Dopo di che, s'è messa male, noi contro loro. Così me ne sono andata.

Lungo la strada di casa, a un certo punto ho visto una camionetta che veniva verso di me. Al volante c'era un soldato con un elmetto americano. S'è fermato tra un gran stridere di freni e ha detto: – Ehilà! –. Aveva la pelle nera. Non avevo mai visto un uomo nero in vita mia, a parte nei libri, e lì per lì non sapevo cosa dire. Mi sono sforzata di non guardarlo fisso, ma era più forte di me. Ha dovuto chiedermi due volte se era la strada giusta per Torpoint prima che riuscissi a fare di sì con la testa. – La sai una cosa? Porti le treccine proprio come la mia sorellina piccola – ha detto. – Ci vediamo! –. E se n'è andato sguazzando tra le pozzanghere. Ci sono rimasta un po' male perché non mi aveva dato neanche una gomma da masticare.

Arrivata a casa, ho trovato l'altra sorpresa, quella brutta. Ho raccontato a nonno e mamma della bomba, di zio George e dei volontari e anche del soldato nero incontrato per strada, ma loro avevano l'aria distratta. M'è sembrato strano, come anche il fatto che nessuno dei due avesse voglia di parlarmi o di guardarmi in faccia. Mentre prendevamo il tè in cucina, è entrata Tips. Si è strusciata contro la mia gamba, poi ha cominciato ad andare in giro miagolando, sotto il tavolo, sotto la credenza, nella dispensa. Però non era il miagolio di quando ha fame o è in amore o porta a casa un topo. Stava chiamando e, quando l'ho presa in braccio, l'ho sentita diversa. Aveva ancora il pancione, ma era diversa, non più gonfia e grassa. Ho capito subito cos'era successo.

– Siamo stati costretti, Lily – ha detto mamma. – È meglio farlo subito, prima che ci si affezioni. Certe volte per essere buoni bisogna essere crudeli.

– Assassini! Assassini! – ho gridato. Poi ho portato Tips in camera mia. Sono ancora qui con lei. Non ho fatto che piangere, e a voce alta per farmi sentire, così anche loro saranno tristi e pentiti come lo sono io.

Tips mi sta sdraiata in grembo e si sta pulendo come se niente fosse. Fa perfino le fusa. Forse non ha ancora capito cos'è successo. O forse sì e ci ha già perdonati. Ora ha smesso di leccarsi. Mi guarda come se sapesse tutto. Non credo che ci abbia perdonati. Non credo che lo farà mai. Perché dovrebbe?

Martedì, 5 ottobre 1943

Il mio compleanno. Sono nata oggi dodici anni fa alle dieci del mattino. È già un bel pezzo che dico di avere dodici anni e, adesso che li ho veramente, non vedo l'ora di averne tredici. E neanche tredici mi bastano. Non so che darei per diventare più vecchia, ma non come nonno, con la schiena curva e le mani tutte ruvide, rugose e piene di vene. Non voglio il naso che cola e i peli che spuntano dalle orecchie. Vorrei solo che il tempo volasse fino a diciassette anni, così la scuola, Blumutanda e le divisioni in colonna sarebbero acqua passata e nessuno potrebbe più portarmi via i gattini per affogarli. Sarà bellissimo avere diciassette anni, perché allora la guerra sarà finita, ci scommetto. Nonno dice che stiamo vincendo, quindi non ci vorrà tanto. Così potrò andare a Londra in treno (non sono mai stata su un treno!) per vedere i negozi e salire su quei grandi autobus rossi e prendere la metropolitana. Barry Turner mi ha raccontato tutto. Dice che le strade sono piene di luci e di milioni di persone e ci sono cinema e sale da ballo. Suo padre lavorava in un cinema prima di morire in guerra. Me l'ha raccontato lui. È stata la prima cosa che mi ha detto di suo padre.

E questo mi fa venire in mente che non ho ancora

ricevuto una lettera da papà. Mi sa che è ancora arrabbiato con me per quello che gli ho detto. Se solo avessi tenuto la bocca chiusa! L'altra notte l'ho sognato. Di solito non ricordo mai i sogni, ma questo sì, almeno in parte. Era tornato a casa e stava mungendo le mucche, ma era in divisa, con l'elmetto. Era una cosa che faceva paura perché, quando sono entrata nella stalla e gli ho rivolto la parola, non ha neanche alzato gli occhi. Io gridavo ma lui non mi guardava. Era come se uno di noi non ci fosse, anche se eravamo lì. Tutti e due.

Lunedì, 1° novembre 1943

«Primo del mese, risposta scortese. Mano lesta, pugno in testa. Ficcanaso, pugno sul naso.» Barry me lo ripeteva ogni volta che mi vedeva. Era proprio scocciante. Così alla fine gliene ho dette quattro e lui s'è offeso. Lo so che non dovevo: cercava solo di fare il simpatico. Non ha pianto, ma c'è mancato poco.

Stasera, però, mi sento in colpa per un altro motivo, molto più grave. Da quando Blumutanda è arrivata a scuola non ho fatto che darle il tormento. L'hanno fatto anche gli altri, ma io più di tutti. Quando mi ci metto, sono bravissima a dare del filo da torcere. L'ho presa subito in antipatia e ho cominciato a fare l'impertinente e lei mi ha punito. Io ho continuato come se niente fosse e lei mi ha punito un'altra volta, e siamo andate avanti così finché non sono più riuscita ad andarci d'accordo. Sono stata cattiva con lei dal primo momento che l'ho vista ed ecco cos'è successo.

Oggi è venuto il vicario a scuola e ha detto che ci avrebbe fatto lezione lui perché la signora Blumfeld non si sentiva bene. Ha detto che non era malata, ma tanto triste perché aveva appena saputo che suo marito, che era nella Marina mercantile, era scomparso nell'Atlantico. La sua nave era stata silurata. Avevano recuperato pochi superstiti, ma il marito della signora Blumfeld non era tra loro. Il vicario ci ha detto che, quando tornava a scuola, dovevamo essere buoni e gentili per non turbarla. Poi ci ha detto di chiudere gli occhi e prenderci per mano e pregare per lei. Io l'ho fatto, ma ho pregato anche per me, perché non voglio che Dio ce l'abbia con me per tutte le cose brutte che ho detto e pensato di lei. Ho pregato anche per papà e ho chiesto a Dio di non farlo morire nel deserto solo perché ero stata cattiva con la signora Blumfeld e che non dicevo sul serio quando gli avevo augurato di morire perché aveva affogato i gattini. Non ho mai pregato tanto in vita mia. Di solito, quando prego la mia mente si distrae, ma oggi no.

Dopo pranzo, la signora Blumfeld è tornata a scuola. Era senza rossetto e aveva la faccia pallida e tirata. Tremava anche un po'. Abbiamo lasciato una lettera per lei sulla cattedra con tutte le nostre firme, per dirle che ci dispiaceva tanto per suo marito. Sembrava molto calma, come stordita. Non ha pianto né aperto bocca finché non ha letto la lettera. A quel punto si è sforzata di sorriderci tra le lacrime e ha detto che era stato un pensiero molto gentile da parte nostra, il che non era vero perché era stata un'idea del vicario, ma questo non gliel'abbiamo detto. Per tutto il giorno ci siamo mossi in punta di piedi e siamo stati super buoni e zitti. Ora mi sento tanto triste per lei perché è tutta sola. Non la chiamerò mai più Blumutanda. E credo che nessun altro lo farà.

Lunedì, 8 novembre 1943

Da quando il marito della signora Blumfeld è stato ucciso, ho cominciato a stare in ansia per papà. Prima non ci pensavo, ma ora sì, continuamente. Penso a lui morto sulle sabbie dell'Africa. Mi sforzo di non farlo, ma l'immagine di lui disteso a terra continua a tornarmi in mente. Ed è una stupidaggine, lo so, perché proprio ieri è arrivata una sua lettera e sta bene. (Le lettere ci mettono un secolo ad arrivare. Questa portava la data di due mesi fa.) Nella lettera non dice niente della litigata. Anzi, manda tanti baci a Tips. Dice che fa così caldo nel deserto che sul cofano della camionetta ci potresti cuocere un uovo al tegamino. E che darebbe non so cosa per qualche giorno di fango e della nostra cara pioggerella del Devon. Gli manca tanto il fango. Come si fa a provare nostalgia del fango, dico io? Noi ne abbiamo fin sopra i capelli. Ormai sono giorni che piove. Giorni d'insopportabile acquetta piovosa lagnosa noiosa. Oggi il vento soffiava dal mare e sono arrivata a casa zuppa fino al midollo.

Nonno è rientrato più tardi. Aveva bevuto un bicchierino, ma lui beve sempre un bicchierino quando va al mercato, giusto per scacciare il freddo, dice lui. S'è seduto davanti alla cucina a legna e ha infilato i piedi nel forno in basso per riscaldarli. È una cosa che mamma non sopporta, ma lui lo fa lo stesso. E ha anche i calzini bucati. Sempre.

– Ci saranno un centinaio di Yankee che ciancicano gomma americana giù in paese – ha detto. – Come tante mosche su una dannata palata di letame –. Mi piace quando nonno parla così. Mamma gli ha dato un'occhiataccia, ma lui non s'è scomposto. Mi ha fatto l'occhietto con un sorriso birbone e ha continuato, dicendo che sicuramente bolliva qualcosa in pentola. Ovunque ti giri c'è un deposito di carburante, tende che spuntano come funghi e carri armati e camion parcheggiati dappertutto. – È qualcosa di grosso – ha aggiunto. – Ve lo dico io.

Piove ancora. La pioggia sferza i vetri delle finestre e tutta la casa scricchiola e trema come se si preparasse a decollare per volare oltre il mare. Sento le mucche che si lamentano nella stalla. Hanno paura. Anche Tips è spaventata a morte. Vuole nascondersi. Continua a farmi

sbaffare mentre scrivo, perché cerca di infilare la testa sotto la mia ascella. Io invece non ho paura, mi piacciono le tempeste. Mi piace quando il mare s'ingrossa e urla e il vento soffia così forte che resti senza fiato.

Anche la signora Blumfeld stamattina mi ha fatto restare senza fiato. Quella Daisy Simmons, la sorellina di Ned, fa sempre un sacco di domande invece di tenere la bocca chiusa e oggi ha alzato la mano e le ha chiesto se era mamma. Così, come se niente fosse!

La signora Blumfeld, però, non se l'è presa. È rimasta soprappensiero, poi ha detto che non avrebbe mai avuto dei bambini perché non ce n'era bisogno: aveva già noi. Ora siamo noi la sua famiglia. E poi ha i suoi adorati gatti. Non sapevo che avesse dei gatti. A sentirla parlare di loro si capisce che gli vuole un gran bene. Mi ero proprio sbagliata sul suo conto. Se le piacciono i gatti dev'essere una brava persona. Ora vado a letto e cercherò di non pensare a papà morto nel deserto. Invece penserò alla signora Blumfeld a casa con i suoi gatti.

Sono appena andata a chiudere la finestra e ho visto un barbagianni volare sopra il cortile, bianco e silenzioso nella notte scura. Un momento era qui e il momento dopo era sparito. Un barbagianni fantasma. Ora lo sento che chiama. Loro stridono, non fanno "uh-uh" come i gufi. È un verso buffo da scrivere, ma tanto i gufi mica devono scriverlo, no? Basta che lo "uh-anno".

Sabato, 13 novembre 1943

Oggi è stato un giorno che mi cambierà la vita.

Nonno aveva ragione a dire che qualcosa bolliva in pentola. Ed è qualcosa di bello grosso. Ogni tanto devo darmi un pizzicotto per credere che succederà sul serio. Ieri è stato un giorno come un altro. Pioggia. Scuola. Divisioni in colonna. Compito di ortografia. Barry che si scaccola e che mi sorride dall'altro capo della classe con quei suoi occhioni rotondi. Vorrei tanto che la piantasse. Non fa che sorridere.

Poi oggi è successo. Sapevo che ci sarebbe stata una specie di riunione in chiesa questa sera e che doveva andarci una persona per ogni casa del villaggio perché era una cosa importante. Prima di uscire, avevo sentito mamma e nonno che ne discutevano a colazione. Nonno, come al solito, si comportava da vecchio caprone bisbetico. Da un po' di tempo è diventato proprio insopportabile. (Mamma dice che è colpa dei reumatismi, peggiorano con il tempo umido.) Continuava a dire che aveva troppo da fare alla fattoria per perdere tempo in riunioni e chiacchiere. E poi ha detto che con le chiacchiere le donne se la cavano meglio perché le fanno più spesso. Naturalmente, mamma è andata su tutte le furie e se ne sono dette di tutti i colori. Comunque, alla fine, mamma ha ceduto e ha detto che ci sarebbe andata lei alla riunione e mi ha chiesto di farle compagnia. Io non volevo, invece ora sono contenta di averlo fatto.

La sala era piena come un uovo. Quando siamo arrivate, c'erano solo posti in piedi. Poi quel parruccone di Lord Comesichiama s'è alzato e ha cominciato a parlare. All'inizio non gli ho prestato molta attenzione perché aveva quel tono monotono e spocchioso (mi piace questa parola) che fa venire sonno. Poi all'improvviso ho avvertito una strana sensazione di calma e silenzio. Era come se tutti trattenessero il respiro. Ascoltavano attenti e anch'io ho fatto lo stesso. Non ricordo le parole precise, ma più o meno il succo era questo.

– So che vi chiediamo molto – stava dicendo il parruccone. – Ma vi garantisco che non lo faremmo, se non fosse assolutamente necessario. Hanno bisogno della spiaggia di Slapton e di tutta la zona retrostante, compreso il villaggio. Serve per simulare lo sbarco per l'invasione della Francia. È tutto quello che posso dirvi. Il resto è top-secret. Non chiedetemi altro perché nemmeno io ne so di più. Quello che so per certo è che avete sette settimane a partire da oggi per trasferirvi armi e bagagli, e lo dico nel vero senso della parola. Dovete portare via tutto: mobili, cibo,

carbone, animali, macchine agricole, combustibile e tutto il foraggio e il raccolto che potete trasportare. Non dovete lasciarvi dietro niente di valore. Scaduto il termine, a nessuno sarà permesso di tornare qui, e sottolineo *nessuno*. Il posto sarà recintato con il filo spinato e verranno messe guardie dappertutto. E poi sarà molto pericoloso. Spareranno granate vere, proiettili veri. So che è dura, ma non pensate che tocchi solo a Slapton. Torcross, East Allington, Stokenham, Sherford, Chillington, Strete, Blackawton: devono essere sfollate tremila persone. Nel giro di sette settimane, settecentocinquanta famiglie e trentamila acri di terra dovranno essere evacuati.

A quel punto alcuni si sono alzati per chiedere spiegazioni, ma è stato inutile. Lui ha fatto cenno di rimettersi seduti.

– Ve l'ho detto. Non chiedetemi il perché e il percome. Tutto quello che so ve l'ho detto. Ne hanno bisogno per lo sforzo bellico, per le esercitazioni. Non c'è altro da sapere.

– Sì, ma per quanto tempo? – ha chiesto il vicario dal fondo della sala.

– Sei mesi, nove, forse di più. Non possiamo saperlo. Ma non preoccupatevi. Garantiremo a tutti un posto dove vivere e, naturalmente, un risarcimento per eventuali danni o furti nelle fattorie e nelle attività commerciali. Su questo devo essere sincero: i danni ci saranno e saranno anche parecchi.

Non si sentiva volare una mosca. Mi sarei aspettata un diluvio di domande e proteste, invece la gente sembrava ammutolita. Ho guardato mamma. Fissava davanti a sé con la bocca semiaperta e la faccia pallida. Mentre tornavamo a casa di notte, l'ho tempestata di domande ma lei non ha detto una parola.

– Tuo nonno morirà di crepacuore – ha mormorato alla fine. – Morirà.

Una volta a casa, è andata dritta al sodo. Nonno era seduto in poltrona con i piedi nel forno, come al solito. – Dobbiamo andare via da casa – ha detto mamma e gli ha raccontato tutta la storia. Nonno è rimasto in silenzio per qualche istante. Poi ha detto: – Dovranno portarmi via di peso. Sono nato qui e morirò qui. Non mi sposterò di un passo né per quegli stramaledetti Yankee né per nessun altro –. Mamma è ancora di sotto a cercare di farlo ragionare, ma lui da quell'orecchio non ci sente. Lo conosco bene. Nonno parla poco, ma quando dice una cosa non ci sono santi. E mantiene la parola. Tips è saltata sul letto e mi ha camminato su tutto il diario con le zampe infangate! Buon per lei che le voglio così bene.

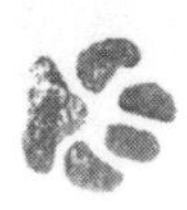

Martedì, 16 novembre 1943

A scuola, al villaggio, ovunque vai e chiunque incontri, non si parla d'altro: l'evacuazione. È come se a tutti fosse capitata tra capo e collo una maledizione. Nessuno sorride più. Nessuno è più lo stesso. Da quando abbiamo saputo la notizia, è calato un nebbione che avvolge ogni cosa e cerca di infilarsi in casa dalle finestre. Chissà se andrà mai via, chissà se rivedremo ancora il sole.

Ho cambiato opinione su Barry. Quella testa di puzzola di Bob Bolan è venuto da me a ricreazione e ha cominciato a parlare male di nonno solo perché è l'unico del villaggio che non vuole andare via. Ha detto che è un vecchio babbione e che bisognerebbe rinchiuderlo in manicomio e buttare via la chiave. C'era anche Maisie con me, ma non ha detto una parola in mia difesa. E dire che la credevo la mia migliore amica! Be', ora non lo è più. Allora, visto che nessuno mi difendeva, ho dovuto farlo da sola. Ho dato uno spintone a Testa di Puzzola (non lo chiamerò più Bob Bolan perché Testa di Puzzola gli calza meglio) e lui me ne ha dato un altro che mi ha fatto cadere per terra, così mi sono sbucciata il gomito. Mentre stavo seduta lì a togliermi la terra dalla ferita, cercando di non farmi vedere piangere, è arrivato Barry. E un minuto dopo Testa di Puzzola era a terra e Barry lo prendeva a pugni. La signora Blumfeld ha dovuto staccarglielo di dosso, ma ormai a Testa di Puzzola usciva il sangue dal naso. Ben gli sta. Mentre la signora Blumfeld li riportava tutti e due in classe, Barry s'è girato e mi ha sorriso. Non ho avuto ancora l'occasione di dirgli grazie, ma rimedierò. Se solo la piantasse di scaccolarsi e sorridermi, credo che mi starebbe anche simpatico. Però, non voglio baciarlo.

Martedì, 30 novembre 1943

Qualche famiglia ha già cominciato a traslocare. Stamattina ho visto il papà di Maisie sulla strada con un carro pieno di letti, sedie, credenze, casse di legno e un'infinità di cose. Maisie stava seduta in cima a tutto e mi ha salutato con la mano. Siamo di nuovo amiche, ma non è più la mia amica del cuore. Penso che ora il mio migliore amico sia Barry perché so che posso fidarmi di lui. Poi ho visto passare in macchina la signorina Langley con un sacco di scatoloni e bauli sul portabagagli. Aveva in grembo Jimbo, quell'odioso Jack Russell che fa sempre scappare Tips in cima agli alberi. Mamma mi ha detto che la signorina Langley va a stare da un cugino in Scozia, a centinaia di miglia da qui. L'ho appena riferito a Tips e lei s'è messa a fare le fusa tutta contenta come per dire: «Che liberazione!».

Tanti andranno a stare dai parenti e anche noi potremmo farlo, solo che nonno non ne vuole sapere. Zio George ha una fattoria a un paio di miglia da noi, poco dietro il punto dove ci sarà la recinzione. Stanno già cominciando a costruirla. Zio George ha detto che la famiglia è la famiglia e sarebbe davvero felice di aiutarci. Ho sentito che lo diceva a nonno. Potremmo portare da lui le nostre vacche da latte, le pecore e le macchine agricole, il trattore *Fordson* di papà, tutto quanto. Staremmo pigiati come sardine, ha detto zio George, ma ce la faremmo. Nonno, però, non ne vuole sapere. Non vuole andare via, chiuso il discorso.

Mercoledì, 1° dicembre 1943

A ricreazione ho trovato Barry seduto sui bidoni della spazzatura dietro il ripostiglio delle bici. Aveva gli occhi tutti rossi. Si capiva che aveva pianto ma si sforzava di non darlo a vedere. Sulle prime non mi ha voluto dire il perché, ma dopo un po' sono riuscita a tirarglielo fuori. È perché non c'è più spazio per lui dalla signora Morwhenna, una volta che si sarà trasferita a Kingsbridge la prossima settimana. Barry si trova tanto bene con lei e ora non ha più dove andare. Così, per tirarlo su, e anche per quello che aveva fatto con Testa di Puzzola, gli ho detto che poteva venire a casa mia a giocare dopo la scuola, basta che la piantava di scaccolarsi. Allora s'è tutto ringalluzzito e, quando ha visto le mucche e le pecore, è stato ancora più felice. Davanti al trattore, poi, è diventato matto. È come se gli avessero regalato un giocattolo nuovo. Non sono più riuscita a staccarlo da lì. Nonno gli ha fatto fare il giro della fattoria e gli ha permesso di guidarlo, ed è stata un'ingiustizia perché a me non l'ha mai lasciato fare. Sono rientrati tutt'e due felici come una Pasqua. Erano secoli che non sentivo nonno ridere così di gusto.

Poi Barry ci ha dato dentro con il pandispagna farcito di mamma, una fetta dietro l'altra, senza smettere di parlare del trattore e della fattoria (e nessuno gli ha detto di non parlare con la bocca piena, e anche questa è una vera ingiustizia perché mamma invece mi sgrida sempre). Sarebbe stato capace di papparsi tutto il dolce se mamma non lo avesse tolto di mezzo. Comunque, anche se continua a sorridermi, ora non mi dà più così fastidio. Anzi, per dire la verità, mi fa piacere.

Più tardi, mentre facevamo insieme la stradina che porta al cancello, di colpo ha ripreso quell'aria da cane bastonato. Avrà detto sì e no una parola. Alla fine è sbottato: – Potrei stare da voi. Non darò fastidio, lo giuro. Non mi scaccolerò più, lo giuro –. Non potevo dirgli di no, ma non volevo neanche dirgli di sì, almeno non proprio. Insomma, sarebbe stato come avere un fratello in casa. Non avevo mai avuto un fratello e non ero sicura di volerlo, anche se adesso Barry era il mio migliore amico, più o meno. Così ho preso tempo. Ho detto che avrei chiesto. E così ho fatto all'ora di cena. Nonno non ci ha pensato su due volte. – Quel ragazzino ha bisogno di una casa, no? E noi una casa ce l'abbiamo. Ha bisogno di mangiare. E noi da mangiare ce l'abbiamo. Dovevamo pensarci prima a prendere in casa uno di quei piccoli sfollati, ma finora non mi erano mai andati a genio quelli di città. Questo qui, però, è un tipo a posto. È un bravo ragazzino. E poi sarà bello avere in casa un maschietto. Sarà come ai vecchi tempi, quando tuo padre era piccolo. Digli che può venire.

Non ha neanche chiesto cosa ne pensavamo mamma e io. Ha detto di sì e basta. Mi ha preso così alla sprovvista che non c'ero preparata, e neanche mamma. Dunque, pare proprio che avrò una specie di fratello in casa, che mi piaccia o no. Mamma è entrata in camera un minuto fa e si è seduta sul letto. – Ti dispiace questa cosa di Barry? – mi ha chiesto.

– Be', è simpatico – ho risposto. E lo è davvero, a parte quando si scaccola.

– Una cosa è certa, farà felice nonno – ha detto mamma. – Così forse sarà più facile convincerlo a trasferirsi da zio George. Ci manderanno via, sai, Lily. In un modo o nell'altro –. Poi mi ha abbracciato forte forte. Erano secoli che non lo faceva. Penso che pensi che sono troppo grande per queste cose, ma non è così.

È un pezzo ormai che non ho più quell'incubo su papà, e questa è una buona cosa. Però è anche vero che non ho pensato granché a lui, e questa non è una buona cosa.

Mercoledì, 15 dicembre 1943

Barry si è trasferito da noi oggi pomeriggio. È tornato con me da scuola portandosi dietro la valigia. Ha fatto quasi tutta la strada saltellando. Dormirà nella stanza in fondo al corridoio. Nonno dice che è quella dove dormiva papà quand'era piccolo. Subito dopo il tè, nonno lo ha portato a dare da mangiare alle mucche. A giudicare dalla faccia di Barry quand'è rientrato, gli sembrerà di stare in paradiso. Come dice lui, a Londra non ci sono trattori, mucche, pecore o maiali. Ha già deciso che le sue preferite sono le pecore. E gli piace anche il fango, rotolarsi giù dalle colline e imbrattarsi il cappotto di cacca di pecora. Ha detto a mamma che il marrone è il suo colore preferito perché gli ricorda il fango e le salsicce. Oggi ho imparato qualcosa di nuovo su di lui: a mamma racconta molte più cose che a me. Io però ascolto. Di suo papà non parla molto, ma ha detto che sua mamma lavora sugli autobus a Londra, fa la bigliettaia, cioè controlla i biglietti dei passeggeri. Questo è quanto sono riuscita a sapere di Barry, oltre al fatto che giocherella con i capelli quando è nervoso e che non gli piacciono i gatti perché gli sorridono. Senti chi parla. Lui non fa che sorridermi. Comunque, se vuole restare con noi, farà meglio a trattare bene Tips, non dico altro. In effetti, adesso che ci faccio caso, Barry giocherella parecchio con i capelli anche a scuola. L'ho già notato in classe, specie quando scrive. Non ha una bella calligrafia. La signora Blumfeld cerca di aiutarlo con le lettere e l'ortografia, ma lui continua a scrivere alla rovescia. (Penso che gli facciano paura. Le lettere, intendo.) Invece con i numeri ci sa fare. Non ha per niente bisogno di usare le dita. Fa tutto a mente, mentre io non ci riesco.

Nonno continua a dire che non ha nessuna intenzione di andare via. Ci hanno provato in tanti a fargli cambiare idea: il vicario, il dottor Morrison, perfino il Maggiore Tucker è venuto a trovarci dalla Villa. Ma nonno non cede. Va avanti come se niente fosse. Mezzo villaggio si è già trasferito, compreso il fattore Gent che abita accanto a noi. Ieri ho visto che portavano via l'ultimo dei macchinari. Tutti i suoi animali sono già andati via. Sono stati portati al mercato la settimana scorsa. La fattoria è deserta. Di solito, dalla mia finestra vedevo brillare delle luci da quella parte, ma ora non più. È tutto buio come la pece. Come se fosse andata via anche la casa.

Ogni giorno arrivano al villaggio altri soldati e camion americani. Nonno fa finta di niente.

Barry è fuori con lui adesso. Sono andati a mungere.

Li ho visti attraversare il cortile nei loro pesanti stivaloni di gomma. Sembra che Barry non abbia mai fatto altro in vita sua, è come se avesse vissuto sempre qui e fosse lui il nipote di nonno. A dire il vero, sono un po' gelosa. No, non è vero. Sono molto gelosa. Ho pensato tante volte che nonno avrebbe preferito un maschio al posto mio. Ora ne sono certa.

Giovedì, 16 dicembre 1943

Quando finirà la scuola domani, sarà anche la fine del trimestre, quattro giorni prima del previsto. Abbiamo quattro giorni in più di vacanza. Evviva! Urrà! Il motivo è che devono portare via i banchi, la lavagna, gli scaffali, ogni cosa fino all'ultimo gessetto.

La signora Blumfeld ci ha detto che domani vengono i soldati americani per aiutarci con il trasloco. Andremo a scuola a Kingsbridge dopo Natale. Ci porterà un pulmino perché è troppo lontano per arrivarci a piedi. E oggi ci ha detto che sarà ancora lei la nostra insegnante. Abbiamo fatto tutti un grande applauso ed eravamo sinceri. È l'insegnante più brava che abbia mai avuto, anche se certe volte non la capisco bene quando parla. Visto che viene dall'Olanda, abbiamo un sacco di foto di Amsterdam alle pareti. In quella città hanno i canali al posto delle strade. La signora Blumfeld ha appeso al muro due grossi dipinti, tutti e due di artisti olandesi. Uno è di una vecchia signora con il cappello, fatto da un pittore di nome Rembrandt (sembra strano, ma è così che si scrive), e l'altro con tante barche colorate su una spiaggia fatto da un pittore diverso. Non ricordo il nome, Van qualcosa, mi pare. Lo stavo guardando proprio oggi, mentre provavamo i canti di Natale. Stavamo cantando *Ho visto tre navi arrivare* ed eccole là le navi. Buffo, no? Quella canzone non l'ho mai capita. Che c'entrano tre navi con la nascita di Gesù? Però la melodia mi piace. La sto canticchiando anche ora mentre scrivo.

Pensiamo tutti che la signora Blumfeld sia molto coraggiosa a continuare a insegnare dopo che suo marito è morto annegato. Al villaggio tutti le vogliono bene.

Gira sempre in bici con il suo foulard blu in testa e ogni volta che ci vede suona il campanello per salutarci.

Spero che non si ricordi più quanto sono stata cattiva con lei quand'è arrivata a scuola. Ma penso di no, perché mi ha scelto per cantare un assolo nel concerto di Natale, la prima strofa di *Nel bel mezzo di un gelido inverno*. Non faccio che provarla e riprovarla: sulla strada di casa, nei campi, in bagno. Barry dice che viene proprio bene, è gentile da parte sua. E poi ha smesso di scaccolarsi e di sorridermi in continuazione. Forse sa che non ce n'è più bisogno. Forse ha capito che ora mi sta simpatico. In bagno, la canzone mi viene proprio bene, lo so. Ma non posso mica portarmi dietro il bagno in chiesa, no?

Sabato, 18 dicembre 1943

Mi piacciono tanto i canti natalizi, soprattutto *Nel bel mezzo di un gelido inverno*. Vorrei che non li cantassimo solo a Natale. Oggi pomeriggio abbiamo tenuto il nostro concerto in chiesa e ho dovuto cantare la mia strofa davanti a tutti. La voce mi ha tremolato un po' su un paio di note perché tremavo anch'io come una foglia. Barry dice che era perfetta, ma io so che lo dice solo per farmi contenta. Anche se all'inizio gli ho creduto, poi ci ho ripensato. Il fatto è che lui sa cantare solo in una tonalità, quindi come fa a capire se una canzone è venuta bene o male?

Comunque, mancano solo due settimane alla partenza. Barry continua a chiedermi cosa succederà a nonno se si rifiuterà ancora di traslocare. Ha paura che lo sbattano in prigione. Questo perché ieri sono venuti l'esercito e la polizia a dire a nonno che doveva fare i bagagli e andarsene, se non voleva finire nei guai. Nonno li ha messi alla porta senza tanti complimenti, e loro hanno detto che torneranno. Vorrei solo che Barry la piantasse di chiedermi che cosa succederà. Come faccio a saperlo? Nessuno lo sa. Forse metteranno nonno in prigione. Forse ci finiremo tutti quanti e ogni volta che ci penso mi viene la tremarella. Perciò, cercherò di non pensarci. E se mi tornerà in mente, bisognerà trovare qualcos'altro di cui preoccuparmi.

Stasera io e Barry eravamo seduti in vestaglia in cima alle scale ad ascoltare mamma e nonno che litigavano di nuovo giù in cucina. Non avevo mai sentito nonno così arrabbiato. Diceva che si sarebbe sparato piuttosto che abbandonare la fattoria. Continuava a dire che non era per niente d'accordo con questa guerra e non lo era mai stato: aveva passato l'ultima guerra nelle trincee e aveva visto tanti di quegli orrori da bastargli per tutta la vita. – Se la gente sapesse com'è veramente, – ha detto, e sembrava sul punto di mettersi a piangere per la rabbia – se avessero visto quello che ho visto io, non manderebbero mai dei ragazzi in guerra. Mai più –. Diceva che lui voleva solo che lo lasciassero in pace a badare alla sua fattoria.

Mamma ha provato in tutti i modi a farlo ragionare. Gli ha detto che stavano andando via tutti, non solo noi, e che nessuno voleva partire ma c'era costretto perché gli americani dovevano fare le esercitazioni per andare in Francia e vincere in fretta la guerra. Così saremmo tornati tutti a casa, anche papà, fine della storia. È solo per pochi giorni, diceva. Ce l'hanno promesso. Ma nonno non voleva credere né a lei né a loro. Ha risposto che gli Yankee dicevano così solo per farlo sloggiare.

Alla fine è uscito di casa sbattendo la porta. Abbiamo sentito mamma che piangeva, allora siamo scesi di sotto. Barry le ha fatto una tazza di tè e io le ho tenuto strette le mani, dicendole che sarebbe andato tutto bene e che nonno alla fine si sarebbe convinto, ne ero certa. Ma lo dicevo così per dire. Non andrà mai via, non di sua volontà almeno, neanche per tutto l'oro del mondo. Dovranno portarlo via di peso e, quando succederà, come ha detto mamma, morirà di crepacuore.

Giovedì, 23 dicembre 1943

Lettera di papà a tutti noi con gli auguri di Natale. Dice che ora è in Italia e non si vede altro che pioggia e fango, e quando hai finito di scalare una collina te ne ritrovi davanti un'altra, ma almeno ogni collina ti porta un po' più vicino a casa. Stavamo facendo colazione, e avevamo appena finito di leggerla, quando qualcuno ha bussato alla porta. Era la signora Blumfeld. Era venuta a portarci la sua cartolina d'auguri, ha detto. Mamma l'ha invitata a entrare. Era tutta rossa in faccia e senza fiato per aver fatto la strada in bici. Era così strano vederla qui, dentro casa. Non sembrava per niente la nostra insegnante, piuttosto una zia in visita. Appena si è seduta, Tips le è saltata in grembo. La signora Blumfeld ha preso il tè e le ha fatto tanti complimenti, anche quando Tips si è affilata gli artigli sulle sue ginocchia.

Poi, all'improvviso, ha guardato nonno. Non ricordo di preciso cosa ha detto, ma più o meno era questo: – Io e lei, signor Tregenza, abbiamo tanto... come dite voi in inglese? ...in comune –. Nonno è rimasto un po' sconcertato (bella parola questa). – Mi dicono che lei è l'unico del villaggio che non vuole andare via. Al suo posto mi sentirei come lei. Amavo tanto la nostra casa in Olanda, ad Amsterdam. È lì che sono cresciuta. In quella casa c'era tutto ciò che amavo. Però siamo dovuti andare via, non potevamo fare altro. Non avevamo scelta: stavano arrivando i tedeschi. Stavano invadendo il nostro Paese. Abbiamo fatto il possibile per fermarli, ma non è bastato. C'erano troppi carri armati e aerei. Erano troppo forti per noi. Mio marito Jacobus era ebreo, signor Tregenza. Anch'io sono ebrea e sapevamo che cosa volevano fare agli ebrei. Sterminarci come ratti, sbarazzarsi di noi. Lo sapevamo bene. Così siamo stati costretti ad andare via. Siamo venuti in Inghilterra, dove eravamo al sicuro. Jacobus ha trovato lavoro nella Marina mercantile. In Olanda era capitano di Marina. Noi olandesi siamo bravi navigatori, come voi inglesi. Era un uomo buono e gentile come lei, signor Tregenza.

Barry mi ha parlato tanto di lei e anche Lily. I tedeschi hanno ucciso mio marito, ma non hanno ancora ucciso me. Potendo, lo farebbero volentieri. E se arriveranno qui, lo faranno di sicuro.

Mentre la signora Blumfeld parlava, nonno non le staccava gli occhi dal viso. – Per questo le chiedo di lasciare casa, come ho fatto io, e permettere ai soldati americani di venire qui. Prenderanno in prestito la casa e i campi qualche mese, per esercitarsi. Così potranno attraversare il mare per liberare la mia gente, il mio Paese e tanti altri. Così i tedeschi non verranno mai qui e non marceranno mai nelle vostre strade. E la mia gente non soffrirà più. So che è una decisione dura, signor Tregenza, ma le chiedo di farlo per me, per mio marito, per il mio Paese. E anche per il suo. So che lo farà, perché so che ha un grande cuore.

Ho visto che gli occhi di nonno si erano riempiti di lacrime. Si è alzato e si è infilato cappotto e cappello, senza pronunciare una sola parola. Arrivato alla porta, si è voltato. – Dirò solo una cosa, signora. Vorrei aver avuto un'insegnante come lei, da piccolo –. Poi è uscito e Barry gli è corso dietro, mentre noi siamo rimaste lì a guardarci in silenzio.

La signora Blumfeld non s'è trattenuta molto; nonno e Barry non si sono più fatti vedere fino a ora di pranzo.

Mentre si lavava le mani nel lavello, di punto in bianco nonno ha detto che ci aveva pensato bene e che potevamo cominciare a fare i bagagli dopo pranzo. Avrebbe trasferito subito le pecore da zio George e gli servivamo io e Barry per dare una mano. Poi ha aggiunto a bassa voce: – Solo finché non possiamo tornare.

– Torneremo, te lo prometto – ha detto mamma e lo ha abbracciato forte. Allora si è messo a piangere. Era la prima volta che vedevo piangere nonno.

Sabato, 25 dicembre 1943

Natale. Inutile far finta che sia stato un bel giorno. Abbiamo fatto quello che si poteva. In casa c'erano festoni dappertutto e un bell'albero di Natale, come al solito. Abbiamo aperto le calze tutti insieme, sul letto di nonno. Ma papà non c'era. A mamma mancava tanto, e anche a me. Barry sentiva nostalgia di casa e nonno è stato abbacchiato tutto il giorno e non ha fatto che brontolare a proposito del trasloco. A pranzo però abbiamo mangiato pollo arrosto e questo ci ha messo un po' di allegria. Ho trovato una monetina da tre penny nella mia fetta di dolce e anche Barry ne ha trovata una; così almeno per un po' non ha pensato a casa. Per tirare su di morale nonno, di sera abbiamo dato una mano a mungere le mucche e ha funzionato, ma per poco. Ormai manca solo una settimana al giorno in cui dovremo portare via tutto. Nonno non pensa ad altro. In casa ci sono pile di scatole e scatoloni da tutte le parti. Le tende e i paralumi sono stati tirati giù; quasi tutte le stoviglie sono già imballate. La casa è piena di festoni, ma non sembra per niente Natale.

Come regalo ho ricevuto un paio di guanti rossi di lana che mamma ha lavorato ai ferri in segreto apposta per me e Barry ha avuto una sciarpa blu scuro che porta sempre al collo, anche a tavola. Quella, però, non l'ha fatta mamma perché non ha avuto il tempo. Stasera siamo andati tutti in chiesa. È l'ultima volta, poi non ci torneremo per un bel pezzo. La svuoteranno di tutte le cose preziose, vetrate colorate, candelabri e banchi, per non farle rovinare. Verranno i soldati americani a portare via tutto e metteranno dei sacchi di sabbia intorno alle cose troppo pesanti da spostare per proteggerle il più possibile. Questo è quanto ci ha detto il vicario e ha aggiunto che ci sarà bisogno dell'aiuto di tutti. Cominceranno a svuotare la chiesa domani. Mamma dice che dobbiamo andare anche noi a dare una mano.

Stasera ho dato a Tips del pollo freddo come cena di Natale. Ha leccato tutto il piattino finché è diventato lucido come uno specchio. È anche lei un po' triste, credo. Sa che qualcosa bolle in pentola. Lo capisce da sola e lo sente nell'aria. Penso che sia triste perché sa che siamo tristi anche noi.

Zio George mi ha già un po' stufato, e non ci siamo ancora trasferiti da lui. Non fa che parlare di guerra: i tedeschi qui, i russi là... Se ne sta seduto con l'orecchio praticamente incollato alla radio e sbuffa e brontola a ogni notiziario. Perfino oggi che è Natale non ha fatto che blaterare di come dovremmo «bombardare i tedeschi e ridurli in polpette per tutto quello che ci hanno fatto»! Quando attacca con questa solfa, tutti gli vanno dietro e si mettono a litigare. Alla fine li ho mollati lì e me ne sono andata a letto. Dovrebbe essere un giorno di pace e buona volontà per tutti. E loro non sanno parlare d'altro che di guerra. Mi fa sentire così triste, e non ci si dovrebbe sentire tristi a Natale e invece adesso lo sono. Buon Natale, papà.

P.S. Avevo appena finito di scrivere che ho sentito Barry piangere in camera sua, così sono andata da lui. All'inizio non voleva dirmi niente. Poi ha detto che aveva un po' di nostalgia di casa. Gli mancava tanto sua mamma, ha detto. E suo papà, soprattutto. Che potevo dirgli? Mio papà è vivo, abito a casa mia e vado alla mia scuola. Poi m'è venuta un'idea. – Perché non andiamo a dire buon Natale alle mucche? –. S'è illuminato subito. Così siamo scesi di sotto in punta di piedi, in vestaglia e pantofole, e siamo corsi nel fienile. Stavano tutte distese sulla paglia a ruminare e sbuffare, con i vitellini che gli dormivano raggomitolati accanto. Barry si è chinato ad accarezzarne uno, e quello ha cominciato a succhiargli il dito finché lui non l'ha tirato indietro ridacchiando.

Mentre attraversavamo il cortile per tornare a casa, all'improvviso mi ha detto: – Non la sopporto la radio. Parla solo di guerra e bombardamenti. Mi fa pensare a mamma e mi manca ancora di più. Non voglio che muoia. Non voglio restare orfano.

Gli ho preso la mano e l'ho stretta forte. Ero troppo triste per parlare.

Domenica, 26 dicembre 1943

È stata la giornata più strana e felice che mi sia capitata negli ultimi tempi. Ho conosciuto qualcuno che è la persona più diversa mai incontrata in vita mia. Diversa sotto ogni punto di vista. L'aspetto, la voce... diversa, insomma. E la cosa più bella è che siamo amici.

Oggi dovevamo aiutare a svuotare la chiesa, ma in realtà abbiamo passato la maggior parte del tempo a guardare perché hanno fatto tutto gli Yankee. Nonno ha ragione: non fanno che ciancicare gomma americana. Però hanno una faccia allegra e ridono e scherzano sempre. Alcuni portavano in chiesa i sacchi di sabbia, mentre altri trascinavano fuori i banchi e le sedie, i libri degli inni e gli inginocchiatoi.

All'improvviso, ho riconosciuto uno di loro. Era lo stesso soldato nero che avevo visto sulla camionetta tempo fa. E anche lui mi ha riconosciuta. – Ehilà, come stai? – mi ha salutato. Non ho mai visto nessuno sorridere a quel modo. Gli si è illuminata tutta la faccia. Aveva un'aria troppo giovane per essere un soldato e sembrava tanto contento di rivedere qualcuno che conosceva. Si è chinato e ha avvicinato la faccia alla mia. – Ho tre sorelline a casa, ad Atlanta. È in Georgia, negli Stati Uniti d'America, dall'altra parte del mare – ha spiegato. – E sono tutte carine come te.

Poi è arrivato un altro soldato. Credo fosse un sergente o qualcosa del genere perché aveva un sacco di galloni sulla manica, ma capovolti, non come quelli dei nostri soldati. Il sergente ha detto al mio soldato di pensare ai sacchi di sabbia invece di chiacchierare con i bambini e lui ha risposto: – Sissignore –. Poi si è allontanato e mi ha sorriso da sopra la spalla. Dopo un po', l'ho rivisto passare con un sacco di sabbia sotto ogni braccio. Si è fermato davanti a me e mi ha guardato dall'alto. – Com'è che ti chiami, piccola? – mi ha chiesto. Gli ho detto il mio nome. Allora ha detto: – Io sono Adolphus T. Madison. La T sta per Thomas. Soldato scelto dell'esercito degli Stati Uniti d'America. Adie, per gli amici. Sono molto contento di fare la tua

conoscenza, Lily. Un raggio di sole d'Atlanta, ecco cosa sei, un raggio di sole d'Atlanta.

Nessuno mi aveva mai parlato così. E mi aveva guardato dritto negli occhi, perciò sapevo che ogni sua parola era sincera.

Il sergente l'ha sgridato un'altra volta e lui è dovuto andare via.

Poi è arrivato Barry e abbiamo passato il resto della mattina dietro la chiesa a guardare i soldati che andavano e venivano con i sacchi di sabbia e, ogni volta che passava, Adie mi faceva un sorriso grosso così. Il vicario stava addosso a tutti come una vecchia chioccia, raccomandandosi di fare attenzione, soprattutto nel sistemare i sacchi intorno al fonte battesimale. – È molto prezioso, sapete –. Si capiva che ai soldati non piaceva essere assillati a quel modo, ma erano troppo educati e rispettosi per rispondergli. Così il vicario ha continuato ad asfissiarli: – È il pezzo più prezioso della chiesa. È romano, sapete, antichissimo –. In quel momento sono passati due Yankee con altri sacchi e uno di loro ha chiesto: – E chi sarà mai questo Romano?

Io e Barry non la finivamo più di ridere. Il vicario ci ha detto che non dovevamo ridere in chiesa, così siamo usciti e abbiamo continuato nel camposanto.

Quando siamo tornati a casa quella sera abbiamo raccontato la storia a nonno e mamma, che hanno riso fino alle lacrime. È stata una giornata proprio felice. Spero che Adie non venga ucciso in guerra. È tanto simpatico. Stanotte dirò una preghiera anche per lui oltre che per papà.

Tips ha appena portato in casa un topo morto e me l'ha lasciato davanti ai piedi. Sa che i topi non li sopporto, vivi o morti che siano. Vorrei tanto che non facesse queste cose. Ora sta seduta lì a leccarsi le zampe tutta soddisfatta. Certe volte capisco perché a Barry non piacciono i gatti.

Lunedì, 27 dicembre 1943

È l'ultimissima notte che passo in camera mia. Non ho mai pensato che questo momento sarebbe arrivato. Non per noi, non per me. Era qualcosa che succedeva agli altri. Tutti stavano lasciando casa, ma io non riuscivo a immaginare che quel giorno sarebbe arrivato anche per noi. Invece domani è l'ultimo giorno e domani arriverà. Domani a quest'ora la mia stanza sarà vuota, tutta casa sarà vuota. Non ho mai dormito in nessun altro posto in vita mia a parte questa stanza. Per la prima volta capisco perché nonno si era impuntato così. Non è solo perché è testardo, difficile e brontolone. È perché ama questo posto quanto lo amo io. Mi guardo intorno, questa stanza fa parte di me. Il mio posto è qui. Se scrivo un'altra parola scoppio a piangere, perciò è meglio se mi fermo qui.

Martedì, 28 dicembre 1943

La nostra prima notte da zio George. Fa tanto freddo, ma c'è qualcosa di peggio, molto peggio. Tips è sparita. Non è venuta con noi.

Oggi abbiamo traslocato. Siamo stati gli ultimi del villaggio a farlo e nonno è molto fiero di questo. Ci hanno aiutato in tanti: è venuta la signora Blumfeld e anche Adie insieme a una mezza dozzina di Yankee. Senza di loro non ce l'avremmo mai fatta. Ora è tutto qui, tutte le casse, tutti i mobili. La maggior parte della roba è stata messa nel fienile di zio George sotto un vecchio telone impermeabile. Solo le mucche sono ancora alla fattoria. Andiamo a prenderle domani, ha detto nonno, e le spingeremo su per la strada.

Zio George ha fatto spazio per tutti noi. È molto gentile, credo, ma parla da solo e sbuffa e borbotta in continuazione e, quando si soffia il naso, pare una sirena da nebbia. È anche molto sporco, sciatto e disordinato, cosa che mamma disapprova, e pure orgoglioso. Prima di sedermi a tavola gli ho chiesto quale fosse la sua sedia e cercavo solo di essere educata, come vuole mamma, ma lui ha risposto: – Tutte quante, Lil –. (Vorrei che non mi chiamasse così, perché lo fanno solo mamma e papà.) L'ha detto ridendo, ma parlava sul serio, lo so. Penso che faccia un po' il prepotente con noi perché è il fratello maggiore di mamma. Non fa che dire che papà non doveva andare in guerra e lasciarla sola a casa. La penso anch'io così, ma non mi piace il modo in cui lo dice. Comunque, mamma non è sola. C'è nonno e ci sono pure io.

Mamma dice che devo essere molto paziente con zio George perché è scapolo e questo significa che ha sempre vissuto da solo, ecco perché è così disordinato e non sa come trattare la gente. Ci proverò, ma non sarà facile. E poi sembra uno spaventapasseri, a parte quando si mette la divisa della Guardia Nazionale. Quand'è in divisa ha l'aria tutta compiaciuta. Nonno dice che non fa granché nella Guardia a parte starsene seduto di vedetta in cima alla collina. Dovrebbero stare all'erta per avvistare navi e aerei nemici, ma nonno dice che si fanno solo quattro chiacchiere e una fumata.

Sento già nostalgia della mia stanza. La mia camera da letto qui, oltre a essere fredda, è anche piccolissima: una specie di ripostiglio che devo dividere con mamma. Barry dorme con nonno. Era l'unico modo per farci entrare tutti. Io e mamma dobbiamo dividere anche il letto, ma non m'importa. Dormiremo raggomitolate e lei mi terrà al calduccio! Non c'è nemmeno un tavolino, così sto scrivendo seduta sul letto, con il diario sulle ginocchia.

Vorrei che Tips fosse qui. Mi manca tanto e sono preoccupata per lei. È scappata quando sono venuti a portare via i mobili. L'ho chiamata non so quante volte, ma non è tornata. Mi sforzo di non farmi prendere dall'ansia; mamma dice che è solo andata via per uno dei suoi giri e che tornerà quando la casa sarà di nuovo tranquilla. È sicura che domani, quando andremo a prendere gli animali, la troveremo. Continua a dire che restano ancora tre giorni prima che chiudano la fattoria, ma io non riesco a smettere di pensare che non potremo più tornarci per sei mesi o anche più. E se Tips non si fa vedere nemmeno domani? Se non la troviamo?

Barry è più felice che mai perché ora ha due agricoltori con cui lavorare e due trattori. Ma la cosa più sorprendente è che anche nonno è felice. Pensavo che lontano da casa si sarebbe intristito. C'ero anch'io quando ha chiuso la porta e si è infilato la chiave nel taschino del gilè. È rimasto a guardare la casa per qualche minuto. Si è sforzato perfino di sorridere, ma non ha detto una parola. Mi ha preso per mano, poi ha preso la mano di Barry, e ce ne siamo andati senza voltarci indietro. Però è sembrato subito a suo agio nella cucina di zio George. Ha già infilato i piedi nel forno, anche se si capisce che a zio George questa cosa non piace. Ma nonno è molto più vecchio di lui, così dovrà fare buon viso a cattivo gioco, giusto?

Ah, sì, dimenticavo. Oggi pomeriggio, mentre trasportavano il nostro tavolo di cucina, Adie mi ha presentato il suo amico Harry. Anche lui è di Atlanta e ha la pelle nera. Tutti e due a volte sono difficili da capire, perché usano un inglese diverso dal nostro. Quello che parla di più è Adie. – Harry è come un fratello per me, Lily. Non proprio un vero fratello, ma un caro amico. Capisci che voglio dire? Siamo come due gemelli, vero, Harry? Sempre pronti a coprirci le spalle. Io e Harry siamo cresciuti insieme: stessa strada, stessa città. Siamo pure nati nello stesso giorno, il 25 novembre. Abbiamo tutti e due diciott'anni, ma io sono più vecchio di sei ore. È quello che ci hanno detto le nostre mamme e se non lo sanno loro, chi lo deve sapere? Giusto, Harry? –. Harry ha risposto con un sorriso e un cenno della testa. – Harry parla poco, ma pensa tanto – ha concluso Adie.

Hanno lavorato insieme tutto il giorno, facendo avanti e indietro con la roba. Devono essere proprio forti. Hanno sollevato la credenza di nonno da soli. E non gli è venuto neanche il fiatone: l'hanno tirata su come una piuma.

Mi sembra sempre di sentire Tips fuori casa, ma ogni volta che guardo è il gatto rosso di zio George che si

aggira miagolando in cortile. Spero solo che Tips ci vada d'accordo. Non le vanno tanto a genio gli altri gatti. Ma se devo essere educata con zio George, anche lei dovrà fare lo stesso con il suo gatto, no? Domani a quest'ora Tips sarà qui e tutto filerà liscio come l'olio! Questo modo di dire mi fa sempre sorridere, anche quando sono triste. Perciò voglio scriverlo di nuovo: liscio come l'olio, liscio come l'olio. Si è appena spenta la lampada, mi sa che è meglio se la smetto qui.

Giovedì, 30 dicembre 1943

Ancora non riesco a trovare Tips. L'ho cercata tutto oggi e tutto ieri. Ho guardato in ogni fienile, in ogni capanno. Nonno ha riaperto casa e sono andata da una stanza all'altra fino in soffitta. Ho guardato anche in tutti gli armadi, casomai fosse rimasta chiusa dentro per sbaglio. Nonno è perfino salito sulla scala per controllare il tetto. Sono andata in giro per i campi battendo con un cucchiaio sulla sua ciotola e chiamandola forte. Ma si sentiva solo il gracchiare dei corvi e il fruscio del vento tra gli alberi e il rombo di un trattore in lontananza. Appena trasferite le mucche e le pecore da zio George, sono venuti tutti ad aiutarmi a cercarla. La signora Blumfeld ha fatto il giro del villaggio in bici con Barry sul seggiolino dietro. Non hanno trovato Tips, in compenso hanno visto un sacco di Yankee. Erano dappertutto, hanno detto, sui camion e le camionette e perfino sui carri armati.

Mamma dice di non preoccuparmi. Nonno dice che i gatti hanno sette vite e che Tips tornerà, come ha sempre fatto. Ed è vero che è sempre tornata, ma io sono preoccupata lo stesso. Non riesco a pensare ad altro. Tips è da qualche parte nella notte, bagnata e intirizzita, sperduta e affamata, e mi resta solo un giorno per trovarla prima che chiudano la fattoria. Domani mi sveglierò presto e Barry dice che verrà con me. Andremo in giro a cercarla finché non la troviamo, dice. E io non tornerò da zio George senza di lei.

La fattoria sembrava strana oggi, così vuota e silenziosa. Una fattoria fantasma, una casa piena di spiriti.

Fatti trovare domani, Tips. Ti prego, fatti trovare. È la tua ultima occasione.

Venerdì, 31 dicembre 1943

Non voglio più vivere un altro giorno come questo. Me lo sentivo che non l'avremmo trovata. C'era troppa gente e io ero sicura che l'avrebbero spaventata, come infatti è successo. Se ci fossimo stati solo io, Barry, mamma e nonno, forse l'avremmo trovata perché Tips ci conosce.

Non è stata colpa sua: la signora Blumfeld cercava solo di aiutarci. Siccome però è andata a dire in giro che Tips si era persa, praticamente si è portata dietro tutto il villaggio. Era pronta già all'alba per organizzare le ricerche. Sono venuti anche gli Yankee, a decine. Adie e Harry hanno indicato agli altri soldati tutti i posti dove cercare e insieme hanno passato al setaccio la fattoria: ogni fienile, ogni mangiatoia, ogni angolo di ogni campo fino al ruscello. Hanno cercato anche giù al bosco dei giacinti e alla cava abbandonata, e io sono andata con loro, cercando di fargli capire che dovevano fare più piano e non gridare a quel modo. Ma non c'è stato verso. Li sentivo sbatacchiare i barattoli da un capo all'altro della fattoria, mentre chiamavano Tips cercando di attirarla con le buone.

Per tutta la mattina è venuta giù una pioggerella sottile, poi nel pomeriggio è salita dal mare una nebbia che ha avvolto i campi e nascosto la fattoria sotto una cappa così spessa che non ci si vedeva a un palmo dal naso. Inutile continuare le ricerche. Allora abbiamo aguzzato le orecchie, ma non si sentiva volare una mosca. Perfino i corvi stavano zitti. Man mano che le ore passavano e la speranza si affievoliva, ogni tanto mi mettevo a piangere. Barry continuava a dirmi che prima o poi l'avremmo trovata e alla fine mi sono scocciata e gli ho risposto male, anche se non dovevo perché cercava solo di farmi coraggio e di essere gentile. È questo il problema con lui: si sforza troppo di essere gentile. Zio George ha detto che un gatto è un gatto e che me ne potevo trovare un altro. Non è stato di grande aiuto.

Quando era quasi buio, uno Yankee con i galloni a rovescio ha spiegato che gli dispiaceva tanto ma avevano l'ordine di chiudere il posto, quindi dovevamo andare via. Adie è venuto da me e mi ha dato una tavoletta di cioccolata. – Cioccolata *Hershey* – ha detto. – Ti fa sentire meglio. E non preoccuparti, Lily. Non prometto niente, ma se quella vecchia gatta è ancora viva qua intorno, in un modo o nell'altro te la troveremo. Ci puoi giurare. Perciò, non stare a preoccuparti, Lily, dai retta a me.

Poi hanno tirato dietro di noi il filo spinato, tagliandoci fuori da casa nostra e da Tips. Guardandoli lavorare, ho promesso a me stessa che sarei tornata a cercarla ed è quello che farò. Ho dato a Barry metà della cioccolata per farmi perdonare di essere stata sgarbata e l'abbiamo mangiata insieme prima di tornare da zio George. Comunque Adie aveva ragione: mi ha fatto sentire meglio, ma perché ne ho dato la metà a Barry, credo.

Ho una brutta tosse, scotto e sono tutta sudata. È da quando siamo rientrati che mi sento così. Mamma dice che ho preso un'infreddatura e che domani dovrò restare a letto sennò mi buscherò qualcosa ai polmoni. Ho odiato ogni singolo orribile minuto di questa giornata, a parte Adie e la cioccolata *Hershey*. L'unica speranza che mi resta è che forse, dico forse, Adie e Harry ritroveranno Tips. Me lo sento, non so perché. Ma una cosa è certa: se non la trovano, m'infilo sotto la recinzione e me la trovo da sola e chisseneimporta di quello che dicono. Possono mettere tutto il filo spinato che gli pare e sparare tutte le granate che vogliono. Non riusciranno a tenermi lontana. Non abbandonerò mai Tips. Mai.

Mercoledì, 12 gennaio 1944

È la prima volta dopo tanti giorni che ho voglia di riprendere in mano il diario. Mamma aveva ragione, mi sono buscata una brutta infreddatura quel giorno che siamo andati a cercare Tips ed è scesa fino ai bronchi. Mamma dice che ho avuto la febbre a quaranta per quasi una settimana e ha dovuto chiamare il dottore perché ero in delirio. A dirla così, sembra una cosa bella, come se fossi in delirio dalla gioia. Invece no. Nel mio caso vuole dire che non ci stavo con la testa. E dev'essere vero perché mi ricordo poco o niente. Solo qualche frammento. Ricordo che Barry è venuto a raccontarmi com'era la nuova scuola di Kingsbridge e mi ha portato i bigliettini d'auguri della signora Blumfeld e della classe. Ricordo che mi sono svegliata e ho visto mamma e nonno seduti in poltrona che mi guardavano o sonnecchiavano. E ricordo ogni tanto un mormorio proveniente dal piano di sotto e zio George che si soffiava il naso come una sirena da nebbia.

Ora sto molto meglio, però mamma dice che devo restare a casa almeno un'altra settimana. Ordine del dottore, sostiene, ma io penso che sia ordine suo. Diventa sempre dura e severa quando sono malata. Mi porta la minestra e poi resta a guardarmi per essere sicura che la mandi giù tutta. Mi prepara mele cotte tutti i santi giorni e devo bere un sacco di latte caldo con il miele. Lei lo sa che io il latte lo odio, ma adesso ha la scusa per farmelo bere. – Ti rimette in forze, Lily – dice. – Bevilo –. E si pianta lì finché non l'ho finito.

Di Tips ancora nessuna traccia. Naturalmente nessuno è andato a cercarla ma io non m'arrendo. Continuo a sperare che stia bene e che un giorno tornerà da noi. È una brava cacciatrice, sa badare a se stessa. Conosce tutti i posticini caldi e sa dove rifugiarsi. Voglio sperare e credere che Adie la troverà. Ma se ci penso bene, so che non sarà così. Me la vedo sempre davanti agli occhi morta in qualche fosso. Eppure mi sforzo di scacciare questi brutti pensieri con tutte le mie forze. Appena starò meglio, correrò a cercarla. L'ho promesso a me stessa e lo farò.

Oggi mamma è venuta su a leggermi una lettera di papà. È talmente tanto tempo che non lo vedo, che quasi non mi ricordo più il suo viso. Ho provato a immaginare la sua voce mentre mamma mi leggeva la lettera, ma non ci sono riuscita. Racconta che come pranzo di Natale hanno mangiato carne salata e patate in scatola, poi si sono messi dei cappellini fatti con il giornale e hanno cantato canzoni natalizie pensando a casa.

Sembrava così triste e lontano. Quando mamma ha finito di leggere, era triste anche lei. Si capiva che aveva voglia di piangere ma si sforzava di trattenere le lacrime.

Mercoledì, 19 gennaio 1944

Sono giorni che organizzo il mio piano nei minimi dettagli, facendomi coraggio per metterlo in pratica. E oggi sono passata all'azione. Purtroppo non è andata per niente come avevo previsto.

Sto diventando bravissima a raccontare bugie. Ho detto a mamma che volevo uscire a prendere una boccata d'aria perché non ne potevo più di stare rintanata in casa. Le ho dato il tormento finché non ha detto di sì. Ma solo perché era una bella giornata e c'era un po' di sole, ha detto. Mi ha imbacuccata come se dovessi andare al polo nord: guanti, cappello, sciarpa, cappotto... dodici di tutto, e mi ha detto di stare attenta a non prendere troppo vento e ho dovuto promettere di rientrare entro un'ora. E l'ho fatto... con le dita incrociate dietro la schiena.

Non è stato difficile attraversare il filo spinato. Non c'era nessuno in giro. Con qualche contorsione sono sgusciata dall'altra parte e ho attraversato di corsa il campo, tenendomi dietro le siepi per non farmi vedere dalle finestre di zio George. Quando sono arrivata, la nostra fattoria aveva un'aria così vuota e abbandonata... niente galline che beccavano, niente oche nello stagno. Ho chiamato Tips più forte che potevo, considerato che non potevo farmi scoprire. Ho guardato in tutti i posti in cui poteva essersi nascosta: il granaio, la stalla, il mungitoio e il porcile. Poi mi sono ricordata che uno dei suoi posti preferiti per dormire era il fienile. Così ho attraversato il cortile deserto e, mentre stavo per salire sulla scaletta che porta su nel fienile, ho sentito delle voci provenire dall'esterno. Sembravano in due ed erano americani. Proprio in quel momento mi è venuto da starnutire e non sono riuscita a trattenermi. Non c'è stato niente da fare. Non penso di avere mai starnutito così forte in vita mia.

Non sapendo che pesci prendere, mi sono sdraiata e mi sono coperta con il fieno, trattenendo il respiro. Li ho sentiti entrare nel fienile e salire la scala. Poi c'è stato qualche istante di silenzio. Pensavo di essermela cavata, quando all'improvviso qualcuno mi ha acchiappato per gli stivali di gomma e con uno strattone mi ha tirato fuori dal fieno. E mi sono ritrovata davanti Adie e Harry che mi fissavano sbalorditi.

– Lily! Be’, che mi venga un colpo! – ha detto Adie, spingendo indietro l’elmetto. – Guarda un po’ chi c’è, Harry. Mi sbaglio, Lily, o sei venuta a cercare quel tuo gatto? –. Ho fatto segno di sì. – Che t’è saltato in testa? Non ti avevo detto che lo cercavamo noi? Non ho detto così? Non te l’ho detto? Non ti fidi? –. All’improvviso la sua faccia è diventata seria. – Devi promettermi una cosa. Devi promettermi che non ti avvicinerai più a questo posto. Fa’ come ti dico, Lily, o ti caccerai nei guai fino al collo. Rischi di farti male, male sul serio, capisci? E non ne vale la pena, per nessun gatto al mondo. Tra poco questo posto diventerà pericolosissimo. Sta’ lontano. Su, prometti –. Era davvero arrabbiato con me. Così ho promesso. Mi hanno aiutata a scendere la scala, poi siamo corsi insieme attraverso il cortile, oltre la fattoria e i campi fino alla recinzione, mentre Adie mi teneva per mano. Poi sono sgusciata di nuovo sotto il filo spinato. – Non venire più da questa parte – ha ordinato Adie. – Resta dove sei, Lily. E smettila di preoccuparti. Te lo troviamo noi quel vecchio gatto, è una promessa sincera, vero, Harry?

– Promessa sincera – ha ripetuto Harry.

Poi sono andati via e io li ho guardati allontanarsi finché li ho persi di vista.

Mamma mi aspettava sulla porta. S’era messa il

cappotto per venire a cercarmi. – Guarda come ti sei ridotta – ha detto e ha cominciato a spazzolarmi via il fieno dai vestiti. – Dove sei stata?

– Nel fienile – ho risposto. E non era una bugia, giusto?

È stata una giornata sublime, anche se non ho trovato Tips. Dovrei essere triste, invece non lo sono. Continuo a rivivere nella mente ogni momento, ogni minuto emozionante. Stanotte non chiuderò occhio. Lo so.

Lunedì, 24 gennaio 1944

Di nuovo a scuola. Naturalmente gli altri la frequentano già da un pezzo e quindi si conoscono tutti, al contrario di me. Tutti i miei compagni del villaggio si sono già fatti un sacco di nuovi amici a Kingsbridge che io non ho mai visto nemmeno una volta, e nessuno di loro è sembrato così contento di rivedermi. Mi sarei sentita un pesce fuor d'acqua, se Barry non mi fosse stato vicino. Mi ha portato in giro per la scuola, facendomi vedere dove mettermi in fila e dove appendere il cappotto. È stato un po' strano avere come guida uno di città. Anche se ormai non penso più a Barry come a uno di fuori, almeno non proprio. Aveva raccontato in giro di

Tips e della mia malattia, così alla fine sono stati tutti gentili con me. Voglio fare una promessa. D'ora in poi non sarò più cattiva con Barry, neanche quando mi fa arrabbiare. Oggi è stato così premuroso. A ricreazione qualcuno l'ha preso per mio fratello, e la cosa non mi ha dato fastidio. Anzi, mi ha fatto piacere e non ho detto che non era vero.

Sono nella classe della signora Blumfeld e questo è davvero sublime. Abbiamo fatto una lezione sull'America, su tutti gli Stati, che poi sono le stelle sulla loro bandiera, e lei ci ha spiegato che hanno un presidente invece di un re. Dice che è un posto enorme, molte miglia più grande dell'Inghilterra, con laghi grandissimi, grandi quanto tutta l'Inghilterra, e montagne altissime chiamate Rocciose e praterie e deserti, e perfino canyon. Però non ci ha spiegato cosa sono i canyon. Ha detto che in America giocano a baseball invece che a cricket e che ci vivono un sacco di persone diverse che vengono da tutto il mondo e sono andate lì per trovare un posto dove vivere e la libertà e per costruire insieme un Paese diverso, e adesso hanno attraversato un'altra volta l'Atlantico per venire qui ad aiutarci a vincere la guerra contro Hitler. Mi piacerebbe andare in America, un giorno. Quando rivedrò Adie gli chiederò altre informazioni. Specie che cos'è un canyon.

Verso ora di cena zio George è rincasato battendo in terra gli stivaloni e ci ha detto che fuori stava nevicando alla grande. Era proprio vero. Il cielo era pieno di grossi fiocchi pesanti che si posavano sul viso e mi costringevano a chiudere gli occhi quando guardavo in alto. Li ho acchiappati con la lingua e li ho lasciati sciogliere in bocca. Poi ho pensato a Tips là fuori al buio e al gelo e ho cominciato a piangere: non sono riuscita a trattenermi. Ho continuato a chiamarla finché mamma mi ha sentita e mi ha riportata dentro. Era arrabbiata con me perché ero uscita di casa, ma poi ha visto che piangevo e allora è tornata gentile. Per riscaldarmi mi ha fatto fare un bagno caldo, molto piacevole, e poi mi ha dato un bicchiere di latte con il miele, che non è stato piacevole per niente. Era una vera schi-fez-za. Perché le mucche non fanno qualcosa di più buono, dico io? Tipo la limonata, per esempio.

E poi mi è venuta quest'idea: se la neve continua a cadere e non si scioglie, si vedranno le orme, no? Magari domani vedo quelle di Tips, e basterà seguirle per trovarla.

P.S. Mi sono appena svegliata. Mamma si è alzata ed è già andata a mungere. Mentre scrivo guardo fuori dalla finestra. È mattino presto ed è ancora buio, solo che intorno è tutto bianco per via della neve. Sembra tutto nuovo di zecca, come se il mondo fosse stato appena creato. Vedo mamma che va verso il mungitoio lasciando una serie di impronte nel cortile. Si soffia sulle mani, si vede il vapore del suo fiato nell'aria. Ho pensato un'altra cosa: se Tips lascia le sue orme sulla neve, anch'io lascerò le mie, no? Questo significa che qualcuno potrebbe accorgersi che vanno dall'altra parte della recinzione. Non va bene. Devo pensare a un altro sistema. Torno a letto. Sono stanca.

P.P.S. Mi sono svegliata un'altra volta. Ho appena fatto un sogno su Tips e la cosa strana è che in un certo senso si è avverato. Voglio metterlo subito per iscritto prima di scordarmelo. Ho sognato che Tips veniva a cercarci tra la neve, entrava dalla finestra della cucina, saliva di corsa le scale, apriva la porta e saltava sul letto dove cominciava a fare le fusa. Quando mi sono svegliata, pochi minuti fa, ero felice perché ero convinta che il sogno si era avverato. Sentivo il calore di Tips sul viso. Era tornata e mi faceva le fusa nell'orecchio! Invece poi mi sono svegliata per bene e mi sono accorta che non era lei. Era il gatto di zio George. Adesso è ancora qui che mi guarda con quei suoi occhioni gialli. Vorrei tanto che fossero gli occhi di Tips. Il gatto di zio George vorrebbe essere coccolato, ma io non ci riesco.

Forse Tips non tornerà più. Per la prima volta

comincio a pensare che se ne sia andata per sempre. Non devo avere questi brutti pensieri. Non devo. Quando la neve si sarà sciolta, mi rimetterò a cercarla e non smetterò finché non la trovo. Dev'essere viva per forza. E se è viva, andrà a caccia di cibo, no?

Stupida! Stupida! Perché non ci ho pensato prima? Ruberò qualcosa da mangiare, qualche avanzo dalla dispensa. Nessuno se ne accorgerà se prendo poca roba e sto attenta. Lascerò il cibo nel fienile e poi resterò ad aspettarla. Avrà fame. Verrà. Deve venire per forza.

Giovedì, 10 febbraio 1944

Ormai sarò entrata e uscita dalla recinzione almeno una mezza dozzina di volte per cercare Tips. Ogni volta che le ho lasciato del cibo è sparito, ma non sono mai riuscita a beccarla sul fatto. Ero sicurissima che prima o poi avrei avuto fortuna e lei sarebbe venuta proprio mentre ero lì.

E poi è successa la cosa peggiore che potesse capitare. Oggi, dopo il tè, come sempre sono uscita mentre gli altri davano da mangiare agli animali. Nessuno mi aveva visto. Il cibo che avevo lasciato nel fienile era sparito come sempre. Così ne ho messo dell'altro e mi sono nascosta nel solito posto sperando con tutto il cuore che stavolta Tips si sarebbe fatta viva. Invece è piombato nel fienile un enorme pastore tedesco, grande quanto un lupo. È andato dritto al cibo e l'ha divorato in un boccone. Sapeva esattamente dov'era. È sempre stato lui allora! Ecco chi ha mangiato il cibo di Tips tutto questo tempo. E poi forse mi sono mossa. Forse ha sentito il mio odore. Non lo so. So solo che ha guardato in alto e ha cominciato ad abbaiare con le zanne scoperte, il pelo dritto e tutto il corpo che tremava.

Ho sentito delle voci e dei passi di corsa e sono arrivati i soldati americani. Hanno guardato in su con il fucile puntato e mi hanno gridato di scendere. Non potevano vedermi, ma sapevano che c'era qualcuno lassù. Così hanno continuato a urlare che avrebbero sparato. Allora ho obbedito. Speravo tanto che ci fossero anche Adie e Harry, ma non c'erano. Erano tutti soldati bianchi. Il cane pareva sul punto di sbranarmi, così mi sono bloccata a metà scala aspettando che lo riprendessero. Uno dei soldati ha detto: – Porca miseria! È una bambina!

A quel punto mi hanno portata fuori e caricata sul retro di una camionetta. Io continuavo a ripetere che ero un'amica di Adie, ma questo non li ha ammorbiditi. Non mi hanno trattata male, per carità, ma nemmeno mi hanno trattata con i guanti. Hanno detto che mi portavano

dal capitano e che ero nei guai fino al collo. Poco dopo mi hanno fatta entrare in una stanza dove, seduto a una scrivania, c'era questo capitano con la testa pelata che mi ha squadrato e mi ha fatto cento domande, tipo come mi chiamavo, cosa facevo da quelle parti e dove abitavo. Così gliel'ho spiegato e lui ha scosso la testa e mi ha chiesto se sapevo che avevo rischiato la vita. Ho risposto di no. Allora s'è arrabbiato e ha mollato un gran pugno sul tavolo dicendo che non dovevo azzardarmi mai più a superare la recinzione, capito? Io ho risposto di sì, ma che volevo solo ritrovare Tips. Allora lui ha chiesto chi era Tips e io ho risposto che era la mia gatta. Allora ha detto: – Gesù Cristo Onnipotente! – che è una cosa che non doveva dire perché non sono cose da dire a meno che uno non stia pregando, ecco. Poi ha urlato qualche ordine ed è entrato un soldato che ha fatto il saluto militare. Era Adie. Come sono stata felice di vederlo! – Dicono che conosci questa bambina, soldato. È vero? – ha chiesto il capitano.

– Sissignore – ha risposto lui, stando rigido sull'attenti con l'aria non proprio entusiasta di vedermi. – Stava solo giocando, signor capitano, come tutti i bambini. Non voleva fare niente di male, signore –. Allora il capitano gli ha ordinato di riportarmi a casa, di raccontare tutto a mia madre e di fare in modo che non succedesse più.

– Sissignore, capitano – ha risposto Adie con un altro saluto militare.

Mentre uscivamo, gli ho fatto un gran sorriso per ringraziarlo di avermi salvato, ma lui non ha sorriso per niente. Mi ha accompagnato in silenzio alla camionetta e poi mi ha riportato a casa senza una parola. Arrivati al cancello, lontano da casa, ha spento il motore. – Sei una ragazzina tutta matta, lo sai? – ha detto. Si è acceso una sigaretta e, quando il bagliore ha illuminato il suo viso nel buio, mi sono accorta che era proprio arrabbiato. – Senti che farò, Lily. Non dirò niente a tua mamma se mi prometti di non rifarlo mai più. Ma me lo devi promettere davvero.

– Prometto – ho detto, ma non dicevo davvero.

– Ora stammi bene a sentire. Quella gatta la sto cercando io e la sta cercando Harry. Te la ritroveremo. Te l'ho già detto, no? Non te l'ho detto? Ma se continui a ficcare il naso in giro, finirai per saltare in aria o per farti beccare di nuovo, te lo dico io. Parlo sul serio. Ci sono soldati che stanno di guardia tutto il giorno, tutti i santi giorni. Ti beccheranno, Lily. Succederà, puoi scommetterci la testa. E puoi scommetterci pure che non verrò a tirarti fuori dai guai, non un'altra volta –. Poi mi ha detto di andare, così sono scesa dalla camionetta. È rimasto a guardarmi un istante e ha scosso la testa. – Tale e quale alle mie sorelline. Una grana. Nient'altro che una grana. E testona come un mulo. L'ho capito appena t'ho vista che eri una peste. Ora, però, fa' come ti dice Adie. Fa' la brava, capito? –. Ed è andato via, lasciandomi sola.

Adie sa che non farò la brava. Sa che tornerò a cercare Tips. E lo so anch'io, perché ora ho capito cosa le ha impedito di uscire dal suo nascondiglio. Quel grosso cane da guardia americano, quel cane lupo. Adesso, però, so cosa fare. Domani aspetto che mamma esca per mungere. Non mi vedrà nessuno perché sarà ancora buio e, se faccio in fretta, dovrei farcela. A Tips piace andare a caccia con il buio. Di giorno starà nascosta da qualche parte, spaventata a morte da quel cagnaccio. Non posso darle torto. Ecco perché non l'ho ancora trovata. Ma ora è diverso perché ho capito che con il buio uscirà fuori. Lo so. Ti troverò, Tips, lo prometto. Ti troverò.

Ho una gran voglia di raccontare quello che mi è successo, e Barry è l'unico con cui posso farlo. Nessun altro mi crederebbe. Magari domani gli dico tutto.

Venerdì, 11 febbraio 1944

Non c'è stato bisogno di raccontare niente: Barry sapeva già tutto. Ecco perché.

Stamattina mi sono svegliata che era ancora buio, come avevo progettato. In giro non c'era un'anima. Mentre attraversavo il cortile ho sentito le mucche che muggivano nella stalla e mamma che gli cantava una canzone. Le piace cantare quando munge. Pensa che così le mucche sono più felici e danno più latte. Mi sono intrufolata nel solito punto della recinzione, fuori dalla visuale della fattoria, e sono corsa attraverso i campi. Dopo un po' mi sono fermata per riprendere fiato e chiamare forte Tips, dopo di che sono rimasta in ascolto. È allora che ho sentito qualcosa ansimare alle mie spalle. Ho pensato che fosse ancora quel cane che sbucava dal buio per saltarmi addosso e sono rimasta paralizzata dalla paura. Invece quello che è uscito dal buio non era un cane. Era Barry, arrabbiato come non mai. Mi ha preso per un braccio e mi ha dato una scrollata. Aveva capito che mi frullava qualcosa per la testa perché mi aveva visto sgattaiolare via quando s'era alzato per andare a mungere con mamma. – Che ti salta in mente, Lily? – ha cominciato a strillare. – È pericoloso. Non devi venire qui, è tutto un campo di battaglia. Sono armi vere, Lily. Granate, bombe, proiettili. Ci sono cartelli dappertutto: PERICOLO, ESERCITAZIONI DI TIRO. Non sai leggere? Non hai il permesso di stare qui! –. Poi ha smesso di gridare e mi ha lasciato andare. – Tu ci sei già stata. Non è la prima volta che attraversi la recinzione, vero? Sei venuta a cercare Tips, non è così?

A quel punto sono scoppiata a piangere e lui mi ha fatto mettere seduta al riparo della siepe. Allora gli ho raccontato tutto, di Adie e Harry, di ieri e di come avevo cercato Tips da ogni parte senza trovarla, di come ero sicura che fosse ancora viva. Per un po' è rimasto in silenzio, giocherellando con l'erba. – Non dirai niente, vero? – ho chiesto.

– Certo che no – ha risposto. – Per chi mi prendi? Però adesso dobbiamo andare via da qui. Subito!

– Ancora un'ultima occhiata – ho implorato. – Ti prego, Barry. Magari Tips è qui intorno che ci aspetta. Ti prego –. Sapevo che l'avrei avuta vinta e così è stato.

Mentre attraversavamo i campi, la luna sembrava galleggiare sul mare. C'erano un sacco di navi nella baia, molte più del solito. Anche se c'era la luna, il cielo sul mare era più scuro rispetto alle colline dietro la fattoria dove stava spuntando l'alba. Il sole non si vedeva ancora, era solo l'inizio grigio di un nuovo giorno. E c'era un gran silenzio. Abbiamo scavalcato il cancello e siamo rimasti ad ascoltare. Poi abbiamo cominciato a chiamare Tips, prima piano, poi un po' più forte e alla fine con tutta la voce che avevamo il coraggio di tirare fuori. Non c'è stata risposta, solo un silenzio vuoto che metteva i brividi. Ma la cosa più strana era che il silenzio sembrava aspettare qualcosa e, quando quel qualcosa è arrivato, non è stata una sorpresa.

All'improvviso il cielo è stato attraversato da un punto all'altro dell'orizzonte da lampi sfolgoranti arancioni e gialli, poi c'è stato un gran rombo seguito da una serie di esplosioni, una dietro l'altra, giù alla spiaggia e al villaggio, sempre più vicine. Sentivo la terra tremarmi sotto i piedi. Barry mi ha presa per la mano e siamo scappati via a rotta di collo. Ma per quanto veloci corressimo, le esplosioni sembravano inseguirci. Io gridavo con quanto fiato avevo in corpo. A un certo punto sono inciampata e rotolata a terra e Barry mi è quasi cascato addosso. Poi il bombardamento è finito e ci siamo azzardati ad alzare la testa per guardarci intorno. Nella luce fioca del mattino ho visto dei mezzi da sbarco che arrivavano dal mare tra il fumo, prima solo due o tre, poi a decine, con i soldati che saltavano nell'acqua e andavano alla carica sulla spiaggia sparando.

Barry mi ha tirata su e siamo scappati. Abbiamo corso per non so quante miglia senza mai fermarci finché abbiamo raggiunto la recinzione. Mentre m'intrufolavo tra i fili, per la fretta il cappotto m'è rimasto impigliato e Barry si è dovuto fermare a liberarmi. Siamo tornati a casa che tremavo da capo a piedi, senza voce e senza fiato. Prima di entrare dalla porta sul retro, Barry mi ha fatto promettere di non attraversare mai più la recinzione. Ho promesso, e stavolta ero sincera. Sincera sul serio. Avevo i capelli dritti in testa dalla paura. Non ci tornerò mai più in quel posto, mai più, né per Tips né per tutto l'oro del mondo.

Quel giorno a scuola io e Barry non abbiamo fatto che scambiarci occhiate. Tutti parlavano dei fuochi d'artificio sul mare. Li avevano sentiti quella mattina o ne avevano sentito parlare, ma noi *eravamo* lì. La signora Blumfeld ha detto che sarebbe successo altre volte. – Devono esercitarsi – ha spiegato. – È come per qualsiasi altra cosa, bambini. Se vuoi fare una cosa bene, devi esercitarti. E se vogliamo che vincano la guerra, se vogliamo davvero che l'Europa sia di nuovo libera, bisogna lasciarli fare. Giusto?

Il gatto di zio George è saltato di nuovo sul letto. Pensa di prendere il posto di Tips. Forse sarà così, ma solo sul letto, mai nel mio cuore.

Giovedì, 24 febbraio 1944

La signora Blumfeld aveva ragione. Gli Yankee si esercitano quasi tutti i giorni. E quasi tutti i giorni sentiamo

il sibilo, il tonfo e lo scoppio delle bombe in lontananza. Mentre tornavamo a casa dopo la scuola, io e Barry, li ho sentiti di nuovo. Non così vicino da fare tremare la terra come la prima volta, ma abbastanza da sentire il crepitio e lo scoppiettio dei fucili e Barry ha detto che dovevano essere mitragliatrici per come sparavano veloci. A me sembrava una grande orchestra di guerra. Era lontana, ma faceva paura lo stesso. La cosa strana è che gli uccelli cantavano e non parevano per niente spaventati.

Venerdì, 3 marzo 1944

È come un miracolo. Eravamo seduti in cucina a prendere il tè quando abbiamo sentito arrivare una macchina. Il cane di zio George ha cominciato ad abbaiare come un matto. Mamma ha detto di andare a vedere chi era. Quando siamo usciti, il cane stava attaccando le gomme, cercando di azzannarle. Era una camionetta. Con sopra Adie e Harry. Era la prima volta che li vedevo senza elmetto. Sembravano perfino più giovani, non uomini come tutti gli altri soldati. Due ragazzi, piuttosto. – Abbiamo qualcosa per te, Lily – ha detto Adie con un sorriso che sembrava pronto a esplodere in una risata. – Qualcosa che ti farà tanto felice.

Ho pensato a una tavoletta di cioccolata o roba del genere. Invece no. Harry ha tirato fuori dal retro della camionetta una scatola di cartone. Una scatola che miagolava! – Hai detto bianca e nera, giusto? – ha chiesto, passandomi la scatola. – L'abbiamo trovata nascosta in quel vecchio hotel giù alla spiaggia. È più nera di me e più bianca di te. E ha un caratterino niente male.

Adie ha tirato fuori la gatta e me l'ha fatta vedere. – È questa che cercavi? –. L'ho riconosciuta subito, dagli occhi verdi, dal pelo, dalle zampe bianche e da quel brontolio tipico di quando fa le fusa. L'ho presa in braccio e l'ho stretta alla guancia.

Non ricordo bene cos'è successo dopo. So che ho pianto tanto e ho abbracciato Adie e Harry. So che quando stavano per risalire sulla camionetta mamma è uscita di casa e poco dopo stavamo tutti intorno al tavolo di cucina, Adie, Harry, nonno, zio George, mamma, Barry e io con Tips che si affilava gli artigli su di me, ed è stato il tè più bello della nostra vita. Mamma ha tirato fuori i dolcetti che chiamiamo *scones* e la panna che aveva messo da parte per domenica. Adie e Harry non avevano mai assaggiato gli *scones*. Barry si è impiastricciato di panna il naso e ha provato a pulirlo con la lingua senza riuscirci, allora ha usato il dorso della mano e l'ha leccato e tutti si sono messi a ridere. E nessuno ha parlato di guerra, neanche zio George. Sono rimasti con noi finché è diventato buio.

Ho accompagnato Adie alla camionetta, con Tips abbarbicata alla spalla come se non volesse staccarsi più da me. – Lily, – mi ha detto Adie sottovoce – devi sapere che in quel vecchio hotel c'erano anche altri gatti piccolini, un'intera cucciolata. A guardarli si capiva che erano la sua famiglia, magari sono già abbastanza grandi da non avere più bisogno di lei, ma è meglio se la tieni d'occhio, sennò potrebbe tornare da loro, mi capisci? Ora è qui. Cerca di farla restare –. Si è fermato accanto alla camionetta e ha accarezzato Tips sulla testa. – È stato il momento più felice, Lily, il momento più felice da quando ho lasciato casa – ha detto.

Allora gli ho chiesto: – Quando esci con quelle navi e fai quegli sbarchi, è pericoloso?

È rimasto in silenzio per un attimo. – Ci sparano roba vera sulla testa, quindi, mi sa di sì. Ma è per farci abituare. Sanno quello che fanno, penso. Comunque sarà tutto molto più brutto quando faremo sul serio in Francia, questo è certo.

– Quando parti? – gli ho chiesto.

– Prima è, meglio è – ha risposto. – Siamo venuti qui per la guerra, Lily, e io voglio solo farla finita e tornarmene a casa.

Poi, lui e Harry se ne sono andati. Solo allora mi sono resa conto che non li avevo neanche ringraziati.

Stasera nonno stava seduto con i piedi nel forno e a un certo punto s'è girato verso di me: – Non avrei mai pensato di dirlo, Lily, ma quegli Yankee ciancicagomma sono gente perbene. Gente perbene.

Da quando è arrivata Tips, il gatto di zio George non s'è fatto più vedere. Ora Tips è la regina della casa. Ha preso possesso di tutto, compreso il mio letto. Adesso se ne sta sdraiata sui miei piedi, giocherellando con gli artigli e guardandomi scrivere. Non mi stacca gli occhi di dosso. Adie aveva ragione, ha avuto altri gattini. È passato un po' di tempo, credo, ma si capisce lo stesso. Spero solo che i suoi micini siano abbastanza grandi da fare a meno di lei. Non posso lasciarla andare da loro, non posso proprio. È così bello riaverla a casa. Mi sento come se facessi le fusa anch'io.

Così ci ho pensato su. La prossima volta che vedrò Adie, gli chiederò di portarmi a casa anche i gattini. Così Tips sarà veramente felice. E non vorrà più scappare via per andare da loro, no?

Martedì, 7 marzo 1944

Tips è scappata di nuovo. È stata colpa di Barry, che ha lasciato la porta aperta quando è andato a prendere la legna. Eppure gliel'avevo detto. L'avevo detto a tutti che Tips poteva filarsela e che dovevamo stare attenti a tenerla in casa. Deve essergli sgattaiolata dietro le spalle. Comunque da allora non siamo più riusciti a trovarla. Barry dice che si è allontanato solo per pochi minuti. Io mi sforzo di non dargli la colpa, ma in cuore mio lo faccio eccome. Doveva stare più attento.

Sono più arrabbiata che preoccupata perché almeno adesso so dov'è: dai suoi gattini, all'hotel. Almeno so che è viva. Alla prima occasione lo dirò a Adie, così andrà a riprenderla e stavolta porterà pure i gattini. Lo farà per me, lo so.

Anche oggi è stata una bellissima giornata, con il cielo limpido e il mare blu. Sotto le siepi è pieno di primule e di ranuncoli. Perché le cose tristi devono capitare nelle belle giornate? Anche Barry è giù di corda perché sa che sono arrabbiata con lui. Be', non lo sono veramente, non troppo comunque. Domani farò pace con lui. Oggi abbiamo sentito un sacco di esplosioni, una così grossa che ha fatto tremare tutta casa. Spero che Adie e Harry stiano bene.

Mercoledì, 8 marzo 1944

Stamattina qualcuno l'ha detto, sul pulmino. Non ci potevo credere. Non ci volevo credere. Però la signora Blumfeld ha detto che è tutto vero. Ieri l'Hotel Slapton Sands è saltato in aria, distrutto durante un'esercitazione. Dicono che è rimasto solo un mucchio di macerie. Questo pomeriggio Barry ha raccolto delle primule per me sulla via di casa, forse perché pensava che mi avrebbero tirato su di morale. Invece non è stato così. Stavolta sono sicura che non rivedrò mai più Tips. Inutile anche solo sperare. Lei in fondo ha vissuto le sue sette vite, ma i suoi gattini ancora no, e non è giusto. Non riesco neanche a piangere. Sono troppo triste. Qualche minuto fa è entrato il gatto di zio George. Forse sa cos'è successo e cerca di essere gentile. Io però l'ho mandato via. Non voglio nessun altro gatto. Mai più.

Mercoledì, 15 marzo 1944

Mamma ha detto che aveva una bella sorpresa per me stamattina. Ho pensato che volesse solo farmi contenta ma poi ha detto che potevamo saltare scuola, così abbiamo capito che c'era davvero qualcosa. E ha cucinato il pranzo della domenica, anche se non è domenica, con il pollo arrosto e la torta di mele. La tavola era apparecchiata con i piatti buoni e la tovaglia bella; mamma si era fatta i capelli e aveva la cipria e il rossetto. Perfino zio George sembrava meno spaventapasseri del solito. Si era lisciato i capelli e messo la cravatta. Nonno non c'era e nessuno voleva dirmi dove fosse. Mamma mi ha sorriso con aria misteriosa. Barry ha detto che sapeva tutto, ma non avrebbe parlato. Così ho fatto finta che non me ne importava niente e lui s'è un po' risentito. Non dovevo farlo, in fondo cercava solo di non rovinarmi la sorpresa. E quando la sorpresa è arrivata, è stata sublime, semplicemente sublime.

Quando abbiamo sentito i cani che abbaiavano ho capito subito che era Adie. Ne ero sicura. Sono corsa fuori, ma invece di una camionetta c'era una macchina, la vecchia *Ford* di nonno, ancora coperta della polvere presa nel fienile. E ho visto qualcuno che mi salutava con la mano. Lì per lì, non l'ho riconosciuto. Poi lo sportello si è aperto. La persona che è scesa non portava la divisa americana, ma una divisa inglese con i galloni dritti. Papà! Papà col suo basco! Papà era a casa! – Ciao, Lil – ha detto. – Ti ricordi ancora di me? –. Sono corsa da lui e ci siamo abbracciati in mezzo al cortile, mentre il cane di zio George mordicchiava le gomme dell'auto. Poi anche mamma l'ha abbracciato e ha pianto tanto, tenendogli stretta la mano. Quando mi sono guardata intorno per presentargli Barry, mi sono accorta che era sparito. A pranzo è ricomparso per sedersi accanto a me, ma non aveva la sua solita parlantina e non ha neanche mangiato molto, cosa che non è da lui. Era un pranzo con i fiocchi! Papà ha mangiato come se nei due anni in cui è stato via non avesse toccato cibo.

Ha detto subito chiaro e tondo che non avrebbe detto una parola sull'Africa, l'Italia o l'esercito. Voleva solo sapere come andavano le cose alla fattoria e come ce

l'eravamo cavata con l'evacuazione. Gli abbiamo raccontato del trasloco, di Adie e Harry e dell'hotel raso al suolo e di Tips. Ha detto che gli dispiaceva tanto e mi ha dato un bacio, ed è stata una cosa gentile perché sapevo che non aveva mai avuto una gran simpatia per lei.

Poi ha provato a parlare con Barry, ma lui se ne stava zitto e vergognoso e non ha aperto bocca. Dopo un po' ha chiesto scusa ed è uscito. Non riuscivo a capacitarmi del suo comportamento finché mamma non ha spiegato il motivo. – Barry ha perso il padre in guerra – ha detto sottovoce a papà. – Nell'Aviazione, a Dunkirk, non è vero, Lil? –. Mi sono sentita così cattiva, così stupida,

per non averlo capito prima. Io avevo riabbracciato mio padre, invece Barry non avrebbe più potuto riabbracciare il suo. Sono uscita di casa e l'ho trovato seduto a guardare il mare. Non voleva parlare. Non voleva neanche guardarmi in faccia. Però voleva che restassi, lo sapevo. Così mi sono seduta accanto a lui e per un pezzo siamo rimasti in silenzio, come solo i veri amici sanno fare.

Più tardi Barry si è un po' rasserenato, io invece non tanto perché mamma mi ha detto che dovevo lasciare il mio posto a papà. Finché resta con noi, cinque giorni di licenza, dormirò sul divano in salotto. A pensarci, in fondo non è così male, perché con un po' di fortuna potrò restare alzata fino a tardi. Non possono costringermi ad andare a letto presto se sto in salotto, no? E a ogni modo non si sta malaccio: c'è un bel fuoco che posso guardare e che mi tiene al caldo.

Lo so che non dovrei dirlo. E neanche pensarlo. Lo penso lo stesso, però. Quando è arrivato papà, e ho visto che non era una camionetta, ci sono rimasta un po' male. Ero felice, ma anche delusa perché non era Adie. È sbagliato, lo so. Comunque sono contenta che papà sia di nuovo con noi sano e salvo. Mi è mancato tanto, e ora che è tornato a casa siamo di nuovo una vera famiglia. È diventato più magro e ha perso un po' di capelli, ma questo non glielo dico. Non gli farebbe piacere.

Lunedì, 20 marzo 1944

Stamattina, prima di andare a scuola, ho dovuto salutare papà. Ha accompagnato me e Barry in fondo alla strada dove ci aspetta il pulmino della scuola. Barry portava il basco di papà: gli piace tanto. Papà era di nuovo in divisa ed era la prima volta che la indossava da che era tornato a casa; sono stata tanto fiera di lui quando i miei compagni lo hanno visto. Ha tre galloni sul braccio e questo significa che è un sergente e può dare ordini agli altri soldati. Non ho pianto perché mi sentivo più fiera che triste. Papà mi ha detto di fare la brava e poi ha aggiunto: – Tornerò presto a casa, Lil. Tu prenditi cura della mamma per me e fa' la brava. La guerra finirà prima di quello che pensi –. Barry gli ha restituito il basco e papà gli ha scompigliato i capelli con una carezza, poi io e Barry siamo saliti sul pulmino e siamo corsi ai sedili in fondo. L'abbiamo guardato diventare sempre più piccolo in lontananza. E poi presto, troppo presto, è sparito dalla vista. Allora sì che ho pianto. Però ho guardato sempre fuori dal finestrino perché nessuno se ne accorgesse.

È stato così strano riavere papà a casa. In un certo senso sembrava che non ci fosse più posto per lui. Ha passato quasi tutto il tempo con nonno e zio George a riparare i macchinari della fattoria e un pomeriggio intero a trafficare con il trattore insieme a Barry, che va matto per impiastricciarsi le mani con l'olio del motore. Una volta papà è andato al pub con zio George e gli altri volontari della Guardia Nazionale. Era una specie di festa di bentornato, credo. Io e Barry ovviamente non ci siamo andati perché non abbiamo il permesso di entrare nei pub. Mamma era tanto felice quando papà è tornato a casa, ma poi l'ho sorpresa a guardarlo dalla finestra della cucina e ho capito quello che pensava. Mentre i giorni passavano e si avvicinava la fine della licenza, avevamo tutti in mente la stessa cosa. Non ridevamo più come prima. Aspettavamo solo il momento in cui sarebbe partito e questo ci impediva di goderci il fatto che fosse lì con noi. Era come avere un'ombra sopra la testa. Ora è andato via ed è come se non fosse mai tornato. Pregherò per lui ogni sera finché starà lontano da casa, a cominciare da adesso. Non salterò neanche un giorno. Croce sul cuore.

Mercoledì, 29 marzo 1944

Ogni volta che andiamo a scuola, vediamo sempre più soldati. Per la maggior parte sono Yankee, ma anche tanti dei nostri. Li vediamo passare sui camion e i carri armati e marciare in colonna. Stanno tirando su interi villaggi fatti di tende. Appena vedo un soldato di pelle nera, controllo subito se è Adie o Harry. È un secolo che non vedo Adie. Immagino che saranno sempre più impegnati nelle prove di sbarco. Comunque, so che sta bene perché zio George ha detto di averlo visto proprio ieri che pattugliava con Harry la recinzione. Zio George li ha invitati a venirci a trovare uno di questi giorni. Spero che lo facciano. Lo spero tanto.

Giovedì, 20 aprile 1944

Il giorno della Grande Sagra dell'Hot-dog. Ecco come l'ho chiamata questa giornata.

Io e Barry stavamo tornando da scuola. Facevamo una gara di corsa e io stavo vincendo come al solito, quando abbiamo sentito una macchina arrivare dietro di noi. Erano Adie e Harry con la loro camionetta. Hanno detto che venivano a farci una visitina. Harry aveva un mazzo di giunchiglie. Ci hanno dato un passaggio fino a casa ed è stato un gran divertimento, ma quello che è successo dopo è stato SUBLIME.

Sono salsicce, ma loro le chiamano "hot-dog" e ne avevano portate a decine. Non ho mai visto tante salsicce in vita mia. Hanno detto che bastava infilarle tra due fette di pane e spalmarle di ketchup, e hanno portato pure quello. Così abbiamo fatto una sagra dell'hot-dog tutti insieme in cucina e in mezzo alla tavola c'erano le giunchiglie che Adie e Harry avevano regalato a mamma. Barry ha detto che non aveva mai mangiato niente di più buono in vita sua. S'è mangiato sei panini! E si è impiastricciato di ketchup tutta la faccia. Io sono riuscita a mangiarne solo tre. Ma erano sublimi!

Abbiamo parlato di Tips solo una volta, quando il gatto di zio George è venuto a strusciarsi contro la mia gamba per avere anche lui una salsiccia. Ho raccontato a Adie la storia della fuga di Tips e dell'hotel saltato in aria. Sapeva dell'hotel, ma mi ha detto di non preoccuparmi. – Tornerà a casa, vedrai – ha detto. – Quella gatta è una vincente, quant'è vero che mi chiamo Adolphus T. Madison –. Allora gli ho confessato che non ero troppo triste, perché non avevo più pensato a lei da quando papà era tornato a casa, ed era vero.

Abbiamo parlato molto di papà e mamma ha detto che non sapeva dove si trovasse, ma forse avrebbe partecipato anche lui all'invasione e magari un giorno Adie e Harry lo avrebbero incontrato in Francia. Poi abbiamo brindato alla vittoria: io e Barry con la bibita frizzante che Adie e Harry avevano portato per noi, una specie di limonata americana. È buona, ma non quanto la nostra limonata. Gli adulti, invece, hanno brindato con la birra. Anche quella portata da Adie e Harry. Si erano portati dietro la sagra al completo.

Adie è così alto che non può stare in piedi in salotto senza sbattere la testa contro il soffitto. Non fa che sbattere la testa da tutte le parti e ridere. E quando Adie ride, ridono tutti, pure la casa. Non ci hanno portato solo le salsicce, ma anche tanta allegria. Alla fine, se ne sono andati nella notte buia. Ora che non ci sono più la casa sembra vuota e silenziosa. Barry ha vomitato, ma dice che ne valeva la pena.

Venerdì, 28 aprile 1944

C'è stata una tempesta al largo la notte scorsa e mi ha svegliata. Mi sono messa in ginocchio sul letto e ho guardato i lampi dalla finestra. Mamma ha continuato a dormire come se niente fosse e così gli altri, invece io l'ho sentita. Non me la sono immaginata. Tips odiava le tempeste, correva sempre a rintanarsi sotto il mio letto. A me non avevano mai fatto paura, almeno finora. Forse a spaventarmi è stato il buio improvviso e il silenzio che sono seguiti, non so. Però ho sperato che Adie e Harry non fossero là fuori per le prove di sbarco.

Oggi a scuola la signora Blumfeld ci ha letto una storia. Parlava dell'America. S'intitolava *La piccola casa nella prateria*. Mi è piaciuta tanto, però la gente nel libro non parlava per niente come Adie e Harry, almeno a giudicare dal modo di leggere della signora Blumfeld.

La radio di zio George s'è guastata di nuovo e ora si sentono solo fischi e crepitii. Lui è arrabbiato nero, ma continua a passare tutte le sere con l'orecchio incollato alla radio, mollandole un pugno ogni tanto. Però ottiene solo altri fischi e crepitii. A me e a Barry è venuta la ridarella quando Barry ha imitato la faccia ingrugnata di zio George e mamma ci ha sgridati.

Lunedì, 1° maggio 1944

Vorrei che questo giorno non fosse mai arrivato, vorrei non essermi mai svegliata. All'inizio era tutto normale: colazione con Barry e mamma, la scuola, le lezioni, la ricreazione, il pranzo, altre lezioni e poi il pulmino verso casa. Ma quando siamo entrati in cucina abbiamo trovato Adie seduto al tavolo con mamma. Ho capito subito che era successo qualcosa. Mi ha guardato come se gli dispiacesse vedermi. Poi ha girato la testa da un'altra parte.

È stata mamma a dircelo. – È Harry – ha mormorato. – Adie è venuto a dirci che è morto.

Quando Adie ha parlato, aveva la voce piena di lacrime. – Ci hanno detto di tenere la bocca chiusa, ma io non la tengo la bocca chiusa, proprio per niente. Ci sono centinaia dei nostri là fuori, morti. Che cosa diranno alla loro famiglia, a casa? Te lo dico io che cosa diranno. Incidente durante l'addestramento, una roba così. Però io c'ero e so tutto. So quello che è successo. L'ho visto coi miei occhi. Non potevamo resistere, non potevamo difenderci. Non c'era nessuno a coprirci le spalle e non è giusto. Non è giusto per niente –. A quel punto s'è messo a piangere e non è riuscito a continuare. Così l'ha fatto mamma. Ci ha raccontato che tre notti fa, mentre i soldati erano sulle navi a poche miglia dalla costa, in attesa di fare un'altra prova di sbarco sulla spiaggia di Slapton, all'improvviso sono sbucate dal nulla delle navi tedesche. E i mezzi da sbarco americani erano un bersaglio facile. Sono stati silurati, e sono tutti colati a picco. Sono morti centinaia di uomini. Alcuni, come Adie, sono stati recuperati, ma Harry non era tra loro.

Mamma ha dato a Adie una tazza di tè e poi io e Barry l'abbiamo accompagnato fino alla strada.

– C'è una cosa che voglio dirvi – ha detto alla fine. – Io e Harry parlavamo un sacco. E un giorno ci siamo domandati che ci facevamo qui a combattere una guerra dei bianchi. Allora lo sapete che cosa ha risposto lui? Ha detto: «Io lo so perché lo faccio. Perché non saremo più schiavi di nessuno, ecco perché. Abbiamo la nostra libertà e non permetteremo a nessuno di portarcela

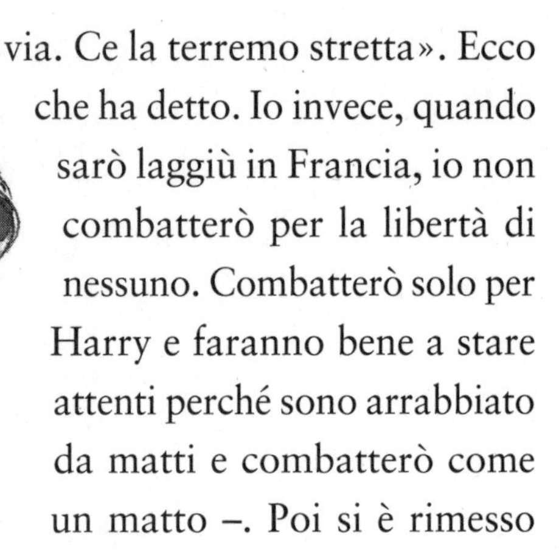

via. Ce la terremo stretta». Ecco che ha detto. Io invece, quando sarò laggiù in Francia, io non combatterò per la libertà di nessuno. Combatterò solo per Harry e faranno bene a stare attenti perché sono arrabbiato da matti e combatterò come un matto –. Poi si è rimesso l'elmetto abbozzando un sorriso. – Harry non aveva nessuno a casa. Dopo che siamo stati da voi, mi ha detto che siete stati gli unici bianchi che lo hanno trattato come uno di famiglia. E ora mi sento così anch'io –. Dopo di che, si è allontanato senza voltarsi.

Mentre lo guardavamo andare via mi è venuta voglia di corrergli dietro e stringerlo forte a me. Volevo dirgli che lo amavo e che lo avrei sempre amato fino al giorno della mia morte. Perché è vero. Lo amo più delle caramelle al limone, più delle mentine, più di quanto amo Tips o mamma o papà, più di tutte queste cose messe insieme. Ed è la verità.

Mentre tornavo a casa ho colto una giunchiglia. L'ho messa in questa pagina del diario. Così sarà sempre qui a ricordarmi il giorno in cui Harry è morto e il giorno in cui ho capito per la prima volta che amo Adie.

Mercoledì, 10 maggio 1944

Adie non è più venuto a trovarci. Ho sperato tutti i giorni che lo facesse. Chissà se tornerà mai. Non riesco a smettere di pensare a lui che si allontana per la strada e che forse quella è stata l'ultima volta che lo vedevo in vita mia. La signora Blumfeld continua a ripetere che l'invasione ci sarà presto, da un giorno all'altro, dice, appena il tempo migliora. Devono aspettare il bel tempo. Invece anche oggi c'è mare grosso. Spero che resti sempre così, almeno Adie non dovrà partecipare allo sbarco e sarà salvo.

Oggi pomeriggio ho aiutato Barry e mamma a fare nascere un vitellino. Nel giro di dieci minuti camminava già. Ne ho visti nascere tanti di agnelli e vitelli, ma ogni volta resto a bocca aperta vedendo come si alzano subito in piedi e camminano su quelle zampette tremolanti.

Quello che noi impariamo in un anno o più, loro lo imparano in un'ora.

Mamma è un po' giù di corda perché non ha ricevuto nessuna lettera da quando papà è partito. Non sappiamo neanche dov'è. Pensiamo sia ancora in Inghilterra, ma non lo sappiamo per certo. Quando eravamo nel campo a guardare il vitellino che faceva il primo salto e inciampava, Barry rideva mentre mamma e io non ridevamo per niente. Avevamo altro per la testa. Se Barry non fosse stato lì, credo che le avrei detto a bruciapelo: «Mamma, adesso so come ci si sente quando ti manca qualcuno che ami davvero».

Non posso dire a Barry che amo Adie, questo è poco ma sicuro, perché è troppo giovane e non capirebbe, e anche se capisse ci resterebbe male. Non l'ha mai detto apertamente, ma so che vorrebbe che fossi la sua ragazza. Cosa che io non sarò mai. Per me è come un fratello oppure un amico, un amico carissimo. Con Adie invece è diverso, tutto diverso.

Sabato, 20 maggio 1944

È venuta a stare da noi la signora Turner, la mamma di Barry (lei vuole che la chiamiamo Ivy). È arrivata all'improvviso martedì scorso, per fare a Barry una sorpresa per il suo compleanno, che però è tra due giorni. Comunque è stata davvero una sorpresa. Per tutti. Quando siamo tornati da scuola l'abbiamo trovata seduta con mamma al tavolo di cucina, con la valigia accanto. Ha abbracciato Barry così forte e a lungo che ho pensato gli schizzassero fuori gli occhi dalle orbite e poi gli ha dato un pizzicotto sulla guancia, cosa che a lui non è piaciuta per niente. Ivy mette un sacco di cipria e il rossetto rosso che Barry si pulisce dalla faccia ogni volta che lei gli dà un bacio, cioè molto spesso. E ha le sopracciglia dipinte, non vere, proprio come quelle di Marlene Dietrich nei film, così almeno sostiene mamma.

Da quando è arrivata, Barry non ha quasi aperto bocca e noi lo stesso. Nessuno riesce a infilare una parola nei suoi discorsi: non smette mai di parlare. Ha una parlantina che «farebbe trottare anche un dannato mulo», dice nonno. E fuma anche «come una dannata ciminiera», per dirla ancora con nonno. Però è simpatica. Mi piace. Ha portato un regalo per tutti e non fa che ripeterci quanto siamo stati gentili a prenderci cura di Barry al posto suo.

Stasera a cena ci ha raccontato una storia dietro l'altra sul Blitz di Londra, sulle sirene anti-aeree, sulla corsa verso i rifugi sotto le bombe e le notti passate

nelle stazioni della metropolitana. Parla con l'accento di città proprio come Barry, solo a voce molto più alta e molto più a lungo. Va molto fiera del suo grande autobus rosso. – Il mio 74 non lo ferma niente e nessuno.

Va dove deve andare, e guai a chi ci prova a fermarlo – ha detto stasera. – Buche, ponti rotti, case crollate... sparassero pure tutti i botti che vogliono, quello non lo ferma nessuno, ve lo dico io.

Ogni tanto Barry prova a farla smettere, ma è inutile. Così, alla fine, la lascia chiacchierare e se ne va. Ora passa ancora più tempo alla fattoria con nonno e zio George. Invece la mamma di Barry l'ha detto chiaro e tondo: la campagna non le piace neanche un po', soprattutto le fattorie. – Posti puzzolenti, tutto quel fango, tutte quelle mucche. E quegli uccelli del cavolo che ti buttano giù dal letto tutte le sante mattine. Proprio non li sopporto, io.

Poi ieri, mentre si stava lavando con mamma al lavandino, dopocena, all'improvviso è scoppiata a piangere. – Che c'è? – ha chiesto mamma, mettendole un braccio intorno alle spalle.

– È tutto questo verde – ha risposto lei, indicando fuori dalla finestra. – Verde dappertutto e neanche un edificio. È così vuoto... Non lo sopporto il verde, io. Non so perché, ma non lo sopporto proprio.

Quindi non esce quasi mai di casa, preferisce starsene in cucina a fumare e a bere tè. A mamma sta simpatica perché le fa compagnia ed è sempre pronta a dare una mano. Le piace avere le mani occupate, sbrigare faccende, pulire i pavimenti, stirare e lucidare. Ha grattato la ruggine dalla stufa di zio George e l'ha verniciata con la grafite, così adesso è contento pure lui. Barry non dice apertamente che vorrebbe vederla andare via, ma io so che è così. Non penso che si vergogni di lei, però si capisce che averla intorno lo mette a disagio. Vorrebbe stare con lei a Londra o qui con noi, ma non tutt'e due le cose insieme. Almeno, a me sembra così.

Una cosa buona è che Ivy prende in giro zio George come nessun altro si azzarda a fare, per i gomiti della giacca bucati e l'aspetto trasandato. Un paio di giorni fa l'ha fatto mettere seduto e gli ha tagliato i capelli, poi gli ha rammendato la giacca. E quando zio George attacca a brontolare e si lamenta di non riuscire a trovare più niente in casa sua, con noi che gli stiamo sempre addosso, mentre prima se ne stava in santa pace, lei gli ride in faccia.

– Sì, parla, parla – gli ha detto una volta con quel suo accento forestiero. – La verità è che ti mancheranno da matti quando se ne andranno via e lo sai pure tu, vecchio brontolone scorbutico.

Stranamente, zio George non ha ribattuto. È rimasto un attimo soprappensiero, poi ha detto: – Forse sì –. E penso che fosse sincero.

Lunedì, 22 maggio 1944

Undicesimo compleanno di Barry. Ivy gli ha portato una torta di compleanno. Erano settimane che metteva da parte i buoni delle razioni alimentari. – L'ho fatta speciale – ha detto. E lo era davvero: una torta di frutta con il marzapane e la glassa di zucchero e il nome scritto sopra con la guarnizione blu. Barry ha soffiato sulle candeline e ha chiuso gli occhi per esprimere un desiderio. Ivy aveva gli occhi lucidi e si sforzava di non piangere. Penso che tutti e due desiderassero la stessa cosa impossibile: il ritorno a casa del papà di Barry.

Quando Ivy andrà via domani, mi mancherà tanto. Penso che mancherà a tutti. Sa farci sorridere. Spegne la radio gracchiante di zio George così possiamo chiacchierare. Ride sempre e non dice mai bugie. Questo mi piace davvero tanto. Quando parla è sempre sincera. Mi piacciono le persone sincere, un po' come Barry. Solo vorrei tanto che non mi chiamasse "paperella".

Venerdì, 26 maggio 1944

Mamma non sta per niente bene. Sono parecchi giorni che tossisce ed è bianca come uno straccio. Ieri il

dottore ha detto che deve stare a riposo a letto finché non le passa la tosse. Nonno ha detto che potevo saltare scuola un giorno o due per prendermi cura di lei e dare una mano in casa con la cucina e le pulizie. Anche Barry voleva restare a casa per aiutare, ma nonno non ha sentito ragioni e l'ha spedito a scuola. Barry non è stato tanto contento. Però, non dovrebbe neanche lamentarsi, secondo me: ha saltato un sacco di giorni di scuola per dare una mano alla fattoria, specie quando sono nati gli agnellini.

Oggi mamma ha ricevuto una lettera da papà e si

è rincuorata un po'. Dice che sta da qualche parte nel Sud dell'Inghilterra. Però non può dire dove. Mamma pensa che parteciperà anche lui all'invasione, quando sarà il momento. Forse incontrerà Adie, come speravamo. Mamma tiene tutte le lettere di papà accanto al letto, vicino alla sua foto.

Oggi pomeriggio sono andata a fare una passeggiata da sola in cima alla collina. Le allodole volavano così alto che sentivo il loro verso, ma non riuscivo a vederle. In compenso ho visto le poiane, due, che volteggiavano sopra gli alberi lanciando quel loro richiamo che sembra un miagolio. Per un attimo ho pensato che fosse Tips. Poi ho guardato il mare e ho visto le navi nella baia, a decine. Non ne avevo mai viste così tante. È l'invasione.

Dev'essere così per forza. Non saranno lì per niente, no? Ma c'è anche un'altra cosa che ho notato mentre ero lassù. Intorno a me non sentivo solo i rumori della campagna, ma anche una specie di ronzio basso. All'inizio non capivo cosa fosse, ma dopo sì. Era il rombo dei motori: camionette, furgoni, carri armati. Il rombo della guerra. Sono rimasta in cima alla collina, con il vento che mi soffiava in faccia, ad annusare l'odore di mare, e in testa avevo solo Adie. Ho detto una preghiera ad alta voce, poi l'ho gridata al vento: – Ti prego, Dio, lascia che torni da me prima di andare in guerra. Ti prego, Dio. Ti prego.

Martedì, 6 giugno 1944

L'abbiamo sentito alla radio. Sono partiti. L'invasione è cominciata stamattina. Adie è partito. Anche papà, probabilmente. Lo chiamano D-Day. Non so perché. Avevamo intuito che c'era qualcosa nell'aria ancora prima di accendere la radio. Poco prima dell'alba, dal mare è arrivato un rimbombo e un fragore lontano.

Dalla finestra ho visto dei lampi all'orizzonte e ho capito che non era un altro temporale. Erano migliaia di armi che sparavano tutte insieme. Quando io e Barry, dopo colazione, abbiamo attraversato di corsa i campi per guardare il mare, abbiamo visto che tutte le navi erano partite. Così non è stata una sorpresa quando stasera alla radio hanno detto che eravamo sbarcati sulla costa francese: americani, inglesi, canadesi, francesi, soldati di tutte le nazioni. Zio George ha detto che ora gliela facevamo vedere noi ai tedeschi. Lui e mamma ci hanno dato sotto col sidro e hanno cominciato a ballare intorno alla cucina e anche quella testa matta del cane di zio George s'è messo a ballare, abbaiando come un ossesso. All'inizio io e Barry siamo rimasti seduti a guardarli. Ridevano come matti. Mamma tossisce ancora quando ride, ma sta molto meglio. Alla fine, ci siamo alzati e ci siamo messi a ballare pure noi. Abbiamo fatto il trenino intorno al tavolo finché c'è venuto il fiatone. Poi mamma ha dato a me e a Barry due mentine ciascuno e un bicchiere di limonata per festeggiare. Zio George e mamma si sono presi un whisky ciascuno e abbiamo fatto cin-cin coi bicchieri. – Alla vittoria! – ha detto zio George.

Più tardi è rientrato nonno dalla mungitura e mamma gli ha raccontato quello che avevamo sentito alla radio.

Lui non ha aperto bocca ed è andato a lavarsi le mani al lavello. Poi ha commentato solo: – Poveri diavoli, poveri diavoli.

Quand'è venuta a letto pochi minuti fa, mamma ha detto che oggi era l'inizio della fine della guerra e che rivedremo presto papà e potremo tornare alla fattoria e tutto sarà come prima. Io però penso che niente sarà più come prima. Niente resta sempre uguale, vero? Niente torna mai com'era prima, vero?

Tutto quello che riesco a pensare mentre scrivo è che Adie stanotte potrebbe essere laggiù, su qualche spiaggia francese, morto o ferito, e io non lo saprò mai

perché nessuno me lo dirà mai perché nessuno saprà mai che ci conoscevamo. Provo a chiudere gli occhi e a immaginarlo. Mi sforzo di non pensare a lui morto e neanche ferito. Cerco di immaginarmelo vivo, che mi sorride. Qualsiasi cosa gli succeda, ovunque sia, è così che lo ricorderò per sempre.

So che dovrei pensare anche a papà, ed è quello che faccio. Almeno ci provo. Penso a tutti e due. E prego per loro.

Ora sono io che scrivo, Bobo. Tua nonna. Dopo quel giorno, ho scritto tante altre cose sul mio diario, ma nessuna è particolarmente interessante e comunque i topi hanno rosicchiato una parte del quaderno quando, anni dopo, è finito in uno scatolone su in soffitta. Topi o scoiattoli, non sono sicura. Ci sono solo due pagine che voglio farti leggere perché concludono questa storia semplicemente sublime, per quanto si possa considerare conclusa la mia storia. E se non capisci quello che intendo dire, lo scoprirai presto, ma non prima di avere letto tutti gli sviluppi. "Sempre più stranissimo!", come direbbe Alice nel Paese delle Meraviglie.

Giovedì, 5 ottobre 1944

Oggi è il giorno del mio compleanno e anche quello in cui ci siamo trasferiti di nuovo alla nostra fattoria. Doveva essere il più bel regalo di compleanno della mia vita. Non vedevo l'ora che arrivasse. Invece adesso che è arrivato e che dovrei essere felice, non lo sono. Questa casa non è più casa mia. È solo un guscio vuoto zeppo di mobili e scatoloni e pieno d'umidità. Quando siamo arrivati abbiamo trovato la porta d'ingresso che penzolava dai cardini; chiunque poteva entrare e uscire a piacimento, cosa che a quanto pare è successa. Infatti dentro è uno sconquasso. Il soffitto è nero di muffa, verde in certi punti; ci sono uccelli morti e foglie secche dappertutto. La carta da parati sopra il camino del salotto s'è scollata dal muro e mezza dozzina di finestre è rotta. Tutta la pioggia che è entrata ha fatto marcire il davanzale in camera mia. Un angolo del soffitto in camera di nonno è venuto giù e c'è un buco nel tetto dove una granata ha fatto saltare via le tegole.

Le grondaie sono zeppe di erbacce e un tubo di scarico è cascato in giardino, sfondando la serra. Certo, chiamarlo giardino è una parolona. Non c'è quasi più un fiore. La gramigna è cresciuta dappertutto. Non si distingue più dov'erano le aiuole e l'orto. Il granaio deve essere stato colpito in pieno da una bomba perché c'è rimasto solo un mucchio di macerie.

Io e Barry siamo andati subito a fare un giro. Da qualsiasi parte ti giri, è pieno di ortiche e di erbaccia alta fino alla testa. Ma la cosa più brutta è il silenzio. Nonno è l'unico che sembra felice di essere tornato. – Non preoccupatevi – ha detto stasera, mentre eravamo seduti a tavola in cucina in un silenzio cupo. – Domani riporteremo gli animali, e vedrete come si animerà. Rimetteremo tutto a posto: tirato a lucido come uno specchio. Basta qualche gallina e, con tutto quel *pio-pio*, addio silenzio! –. Spero che abbia ragione. Se non altro sono tornata a dormire in camera mia, anche se non sembra più la stessa. Per il momento c'è solo il letto, la sedia e la lampada. E una gran puzza. Tutta casa puzza.

P.S. Non ci posso credere! Ho appena finito di scrivere e stavo per spegnere la lampada quando ho notato una scritta a matita sulla parete accanto alla finestra. Dice:

10 gennaio 1944. Harry e Adie sono stati qui a cercare Tips. Bentornata a casa, Lily!

Non faccio che rileggerla. Non riesco a smettere di piangere e non so se è perché sono felice o triste. Forse tutt'e due le cose insieme. Non voglio dirlo a nessuno, non stasera almeno. È una cosa scritta per me, perciò la tengo per me. Agli altri lo racconterò domattina. Ogni tanto guardo la scritta per convincermi che è vera.

Venerdì, 6 ottobre 1944

Sublime! Sublime! Mi sento tutta sublime, perché la cosa più bella che poteva succedere è successa.

Stamattina, appena mi sono svegliata, non capivo dov'ero. La finestra era dalla parte sbagliata. Poi, mentre cercavo di fare mente locale, ho visto la scritta sul muro. Allora mi sono ricordata tutto. Ero a casa! Sono saltata giù dal letto e ho chiamato tutti per mostrare il messaggio di Adie e Harry. Naturalmente ho fatto finta di averlo appena scoperto. Nonno non c'era, era già andato da zio George a mungere le mucche. A colazione non abbiamo fatto che parlare della scritta sul muro, ma avevamo i minuti contati perché mamma ha detto che dovevamo andare da zio George il più in fretta possibile, «a tutta birra» ha detto, per riportare le mucche alla fattoria dopo la mungitura.

E poi, mentre stavamo lavando i piatti, la porta sul retro si è aperta, come da sola. È entrato un gatto che miagolava e faceva le fusa e poi ha cominciato a gironzolare sotto la tavola e le sedie con la coda che tremava dalla contentezza. Tips! Tips è viva! Tips è tornata dall'aldilà! Piangevamo tutti, anche Barry che i gatti non li può soffrire. Le ho dato del latte e lei ha leccato la ciotola fino all'ultima goccia. È smagrita e sul muso ha un graffio che prima non c'era. Però senz'ombra di dubbio è Tips, la mia Tips! Occhi verdi, zampe bianche e tutte le macchie nere al posto giusto. Anche il modo di fare le fuse è lo stesso.

Mamma ha detto che non c'era bisogno che andassi con loro a riprendere gli animali, che potevano cavarsela da soli. Così ho passato tutto il giorno a coccolare Tips. Ho giocato con lei, le ho dato da mangiare e l'ho coccolata di nuovo. Penso di avere recuperato dieci mesi di coccole in un giorno solo. È tornata a casa proprio come Adie aveva previsto. Ho controllato il diario per essere sicura. Ecco le sue parole precise: *Tornerà a casa. Quella gatta è una vincente, quant'è vero che mi chiamo Adolphus T. Madison.* Così ho deciso che d'ora in poi non la chiamerò più Tips ma Adolphus Tips. Naturalmente, prima ho chiesto il suo parere e lei ha risposto con le fusa. Così ora so che è d'accordo. Anche se, a essere onesti, è da quando è tornata che non smette di fare le fusa!

Comunque, penso che il nuovo nome le piaccia perché ha un suono importante e a lei piace sentirsi importante. Continuo a ripeterlo per farci l'abitudine, così si abitua anche lei. Adolphus Tips. Adolphus Tips. Ogni volta che lo dico mi viene da sorridere perché ha un suono tanto buffo e mi fa pensare a Adie.

Prima di spegnere la lampada ho toccato la scritta sul muro. Voglio farlo tutte le notti per portare fortuna a Adie in Francia. E voglio anche pregare per lui, così tornerà come ha fatto Tips, anzi, Adolphus Tips.

E ora che sono passati più di settant'anni, Bobo, ecco l'inizio della fine della storia.

Adie non è più tornato. Ma non c'è stato giorno in cui non abbia pensato a lui e a Adolphus Tips. Quando io e Tips ci siamo ritrovate, ormai lei era una vecchia gatta; perciò dopo il suo miracoloso ritorno è sfiorita in fretta. Penso che la lotta per la sopravvivenza le sia costata molto, come anche partorire tutti quei gattini. Tre anni dopo è morta serenamente e io l'ho seppellita in giardino.

Poco alla volta la gente è tornata a vivere nelle case e nelle fattorie intorno a noi. Come puoi immaginare, la devastazione era enorme. Quasi nessun edificio era rimasto indenne; molti erano ridotti in macerie. Le fattorie e i cortili erano infestati da erbacce e ratti e i conigli erano dappertutto, a migliaia. Abbiamo mangiato tanto di quello stufato di coniglio! Per un po' è stato un posto triste, ma piano piano le cose sono migliorate. Le case sono state riparate, le fattorie risistemate. Anche la chiesa era stata colpita, uno dei muri era crollato, così per qualche tempo non abbiamo potuto usarla. Ricordo ancora la prima volta che le campane hanno ripreso a suonare: è stato per festeggiare la fine della guerra, nel 1945.

È stato l'anno in cui papà è tornato a casa e l'anno in cui ha riaperto la scuola del villaggio. E anche l'anno del nostro primo generatore elettrico. Papà aveva lavorato molto con i generatori quand'era nell'esercito, così ne ha installato uno. Siamo stati una delle prime case al villaggio ad avere l'elettricità. Papà ne andava molto fiero. Più tardi, i generatori sono diventati il suo lavoro. Ha trasformato uno dei fienili in officina e ha rifornito di generatori tutto il Paese, tutto il mondo. Io, mamma e nonno abbiamo continuato a gestire la fattoria e siamo stati molto felici.

Dopo la guerra, Barry è tornato da sua madre a Londra. Per un po' ci siamo scritti, ma poi abbiamo perso i contatti. Uno di noi non ha più risposto all'altro, non ricordo chi. Comunque, parecchi anni dopo Barry è tornato a trovarci. È venuto con sua moglie, voleva presentarcela e mostrarle la fattoria, immagino. Ricordo di avere perfino provato una fitta di gelosia. Barry aveva lo stesso sorriso ed era dolce e gentile come sempre. Mentre prendevamo il tè, ci ha raccontato che i giorni passati con noi durante la guerra erano stati il periodo più felice della sua infanzia. Ora vive in Australia vicino a un posto chiamato Armidale, nel Nuovo Galles del Sud, dove ha un allevamento di pecore. Dopo tutto il tempo passato alla fattoria, non sognava altro che di averne una tutta sua. Ci scambiamo le foto dei nostri nipotini a Natale. Spero di andare a trovarlo, un giorno. Vedremo.

Come sai, Bobo, la signora Blumfeld non è tornata in Olanda dopo la guerra, ma è rimasta a insegnare nella scuola del nostro villaggio. Sei venuto con me a trovarla un paio di volte, ti ricordi? Ora riposa al cimitero, non lontano da nonno e zio George e da mamma e papà, e adesso anche da tuo nonno. Cerco di tenere le loro tombe sempre in ordine e porto spesso dei fiori, bucaneve, primule, campanule, giunchiglie, fucsie, quello che è di stagione, quello che trovo in giardino. A volte l'abbiamo fatto insieme, vero, Bobo?

E ora la fine della storia. È successo circa tre anni fa. Ricordo che eri appena tornato a casa dopo avere passato le vacanze con me e tuo nonno. Ero andata a fare una delle mie solite passeggiate in spiaggia, dove un tempo c'era il vecchio hotel, e ho visto sulla riva due uomini che guardavano il mare. Ricordo che mi è sembrato strano perché avevano l'aria un po' fuori posto: non avevano i vestiti adatti. Sai che su quella spiaggia di sassi puoi sentire qualcuno che cammina anche da lontano. E loro sicuramente mi hanno sentito, perché si sono girati a guardarmi. Erano tutti e due alti e di pelle nera. Uno sembrava molto più vecchio. Aveva i capelli bianchi e un mazzo di fiori in mano. Forse era qualcosa a cui in fondo avevo sempre creduto, perché nel momento stesso in cui ho posato gli occhi su di lui ho capito chi era. Non sono stati solo gli occhi a dirmelo. È stato anche il mio cuore. Lui, però, non mi ha riconosciuto. Si sono girati di nuovo e hanno cominciato a lanciare i fiori in mare il più lontano possibile, cioè non molto, tanto che le onde li riportavano subito a riva. Sapevo che erano per Harry.

Ho aspettato un po' prima di avvicinarmi, perché non volevo disturbare quel momento.

– Adie? – ho detto. Si è girato a guardarmi. Era lui! Era proprio lui. – Adolphus T. Madison – ho continuato. – La T sta per Thomas. Soldato scelto dell'esercito degli Stati Uniti d'America.

Allora ha sorriso con quel sorriso che ricordavo bene. – Lily? – ha detto. E ci siamo presi per mano, incapaci di dire un'altra parola.

Così Adie e suo figlio, l'aveva chiamato Harry, sono venuti a casa nostra e hanno preso il tè con me e tuo nonno. Tra uno scone *e un pasticcino, io e Adie ci siamo raccontati la storia della nostra vita. Come puoi immaginare, ne avevamo di cose da dirci! Abbiamo passato dei momenti meravigliosi quel giorno. Tuo nonno lo ha preso subito in simpatia perché Adie lo trattava come se non fosse su una sedia a rotelle, come se non fosse malato, ed è una cosa che tuo nonno apprezzava molto, lo sai. Chiacchierando, Harry mi ha detto che suo padre aveva sempre sognato di fare quel viaggio per ricordare il suo vecchio amico e rivedere la fattoria dove viveva Lily, la bambina con il gatto, e dove si era sentito a casa. Harry era cresciuto con quella storia. Quando la moglie di Adie era morta, circa un anno prima, lui non aveva più voluto rimandare. – Abbiamo deciso su due piedi di fare le valigie e via – ha spiegato Adie. – Dimmi un po', te lo ricordi ancora il giorno che abbiamo portato gli hot-dog? –. Siamo scoppiati a ridere al ricordo della Grande Sagra dell'Hot-dog e di Barry sporco da un orecchio all'altro di ketchup. Gli ho raccontato che alla fine Tips era tornata a casa come lui aveva previsto e che l'avevo ribattezzata Adolphus Tips e lui ha detto che si sentiva "tanto fiero".*

Dopo il tè sono partiti per Londra, con l'intenzione di fermarsi alla fattoria lungo la strada. Mi sarebbe piaciuto accompagnarli, ma tuo nonno si sarebbe agitato, se l'avessi lasciato di nuovo solo. Comunque, da quel giorno io e Adie ci siamo scritti tante volte. Ha mandato dei fiori per il funerale di tuo nonno e poi mi ha scritto che se volevo andare a trovarlo ad Atlanta sarei stata più che benvenuta.

Così ci sono andata, Bobo, ed è qui che mi trovo ora, ad Atlanta, negli Stati Uniti. Credo che io e Adie non abbiamo mai smesso di parlare dal giorno in cui sono arrivata. Abbiamo così tanto tempo da recuperare. E quando una settimana fa mi ha chiesto di sposarlo, mi è sembrata la cosa più naturale del mondo dirgli di sì. Ci siamo sposati martedì scorso. Per me è la seconda volta e ho sposato il mio amore d'infanzia. La chiesa era gremita di gente, non ho mai sentito cantare in maniera così straordinaria. Cantano con una tale gioia da queste parti, come se ogni parola, ogni nota, avesse un significato speciale. Così ora sono la signora Madison e, appena la luna di miele sarà finita, porterò Adie a vivere con me a Slapton. Andiamo in luna di miele a

New York, nessuno dei due ci è mai stato, e sabato sera prendiamo l'aereo per Londra. Arriviamo a Heathrow, terminal 4, alle sette e mezza. Non vedo l'ora di fartelo conoscere, Bobo. Ti piacerà, lo so. Spero che piacerà a tutti. Vieni, se puoi.

Epilogo

Naturalmente, sono andato. C'eravamo tutti: zii e zie, la famiglia al gran completo. Alcuni erano ancora un po' scombussolati dalla sorpresa, ma eravamo pieni di curiosità, io in particolare. Perciò, quando sono usciti dal terminal, ci hanno trovati ad aspettarli con i confetti (una mia idea).

Nonna sembrava così piccola vicino a lui. Si tenevano per mano con l'aria soddisfatta di due gatti che hanno acchiappato un topo e se lo spartiscono tutti contenti. Poi ho stretto la mano a Adie. – Ehilà – mi ha salutato con un gran sorriso, guardandomi dall'alto della sua statura. – Mi sa che tu sei Bobo. Già. Tale e quale a una personcina che conoscevo tanto tanto tempo fa, solo che tu sei un ragazzo e non porti le treccine.

Dopo un po' nonna mi ha preso da parte e mi ha messo un braccio intorno alle spalle.

– Allora, che ne pensi, Bobo? – ha chiesto sottovoce.

– Sublime – ho risposto. – Semplicemente sublime.

Postfazione

Nel 1943, a quattro anni dallo scoppio della Seconda Guerra Mondiale, gli Alleati si preparavano a lanciare una grande offensiva contro la Francia occupata, allo scopo di liberare definitivamente l'Europa da Hitler e dai nazisti. Un attacco via mare su così vasta scala non era mai stato tentato prima. I soldati avevano bisogno di fare pratica, di esercitarsi, e per questo avevano bisogno di un campo di addestramento.

Così, la parte meridionale dell'Inghilterra fu trasformata in un enorme campo di battaglia dove le forze d'invasione si radunarono per le esercitazioni. Fu necessario sgombrare diversi tratti di costa per consentire la simulazione degli sbarchi, in modo che i soldati fossero pronti quando sarebbe arrivato il momento dell'invasione vera.

La scelta cadde sulla zona di Slapton Sands perché la spiaggia era simile a quelle della Normandia, al di là della

Manica. Ai circa tremila abitanti furono concesse solo poche settimane per radunare tutto ciò che possedevano e trasferirsi altrove.

Naturalmente, il cambiamento provocò gravi disagi e la zona subì considerevoli danni durante le esercitazioni militari. Ci furono anche molte vittime tra i soldati, che a Slapton erano perlopiù americani.

Durante la cosiddetta Operazione Tiger dell'aprile del 1944, navi cariche di truppe americane in attesa di sbarcare a Slapton furono sorprese nel canale da motosiluranti tedeschi e affondate. Centinaia di soldati americani morirono annegati. Questa tragedia fu mantenuta deliberatamente segreta dalle autorità per molti anni.

Poi, la mattina del 6 giugno del 1944, arrivò il momento del D-Day, come venne chiamato: il giorno in cui gli Alleati sbarcarono sulla costa francese, per poi farsi strada verso l'interno liberando durante l'avanzata villaggi e città. Dopo undici mesi di sanguinosi combattimenti, la Germania si arrese e la Seconda Guerra Mondiale ebbe fine.

Operazione Tiger

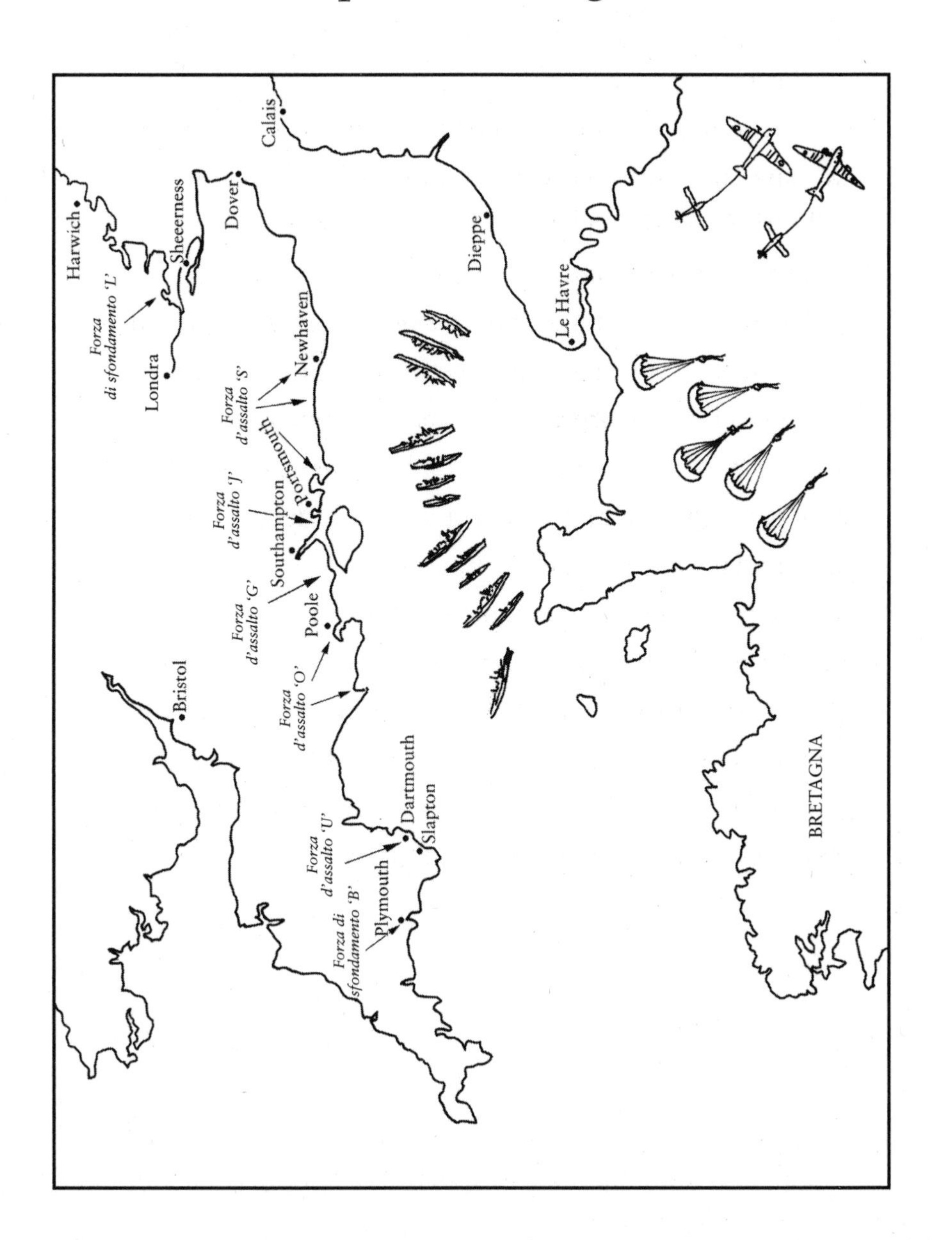

Indice

Prologo 9

La straordinaria storia di Adolphus Tips.............. 23

Epilogo.. 159

Postfazione.. 161

IDEE E MATERIALI PER LA SCUOLA

LeggendoLeggendo è un **sito dedicato agli insegnanti** che contiene le proposte del Battello a Vapore rivolte alla scuola e tanti materiali pronti che si possono scaricare gratuitamente.

Nelle diverse sezioni si trovano suggerimenti di **attività** a carattere ludico e creativo da realizzare con la classe, percorsi di **approfondimento** su singoli titoli, **articoli** tematici, segnalazioni di **nuovi libri** e **interventi di autori**.

L'intento del sito è quello di **promuovere il confronto** fra colleghi di tutta Italia, favorendo lo scambio di idee, materiali e attività per la lettura a scuola.

www.leggendoleggendo.it